中国智慧

易中天 著

周易的启示　中庸的原则
兵家的思考　老子的方法
魏晋的风度　禅宗的境界

上海文艺出版社

目 录

后记

周易的启示

一　金字塔和昆仑山

大家好！今天我们讲《周易的启示》。

讲中国智慧，为什么要从《周易》开始呢？我先讲一个故事。1798 年 7 月，拿破仑率领他所向披靡的远征军来到了埃及。当他们在吉萨高原壮丽的晚霞下，亲眼看见那海一般辽阔、夜一般寂静的土地上，那些默默无言巍然矗立的金字塔的时候，几乎所有的人都被震撼了。他们不由自主地停下了脚步，甚至放下了武器。拿破仑，这位被黑格尔称之为"骑在白马上的时代精神"的英雄，也按捺不住内心的激动，以一种发自内心的崇敬，庄严地对他的远征军说：士兵们，4000 年的历史正从这金字塔上看着你们！

这个时候，谁不会肃然起敬呢？

这个时候，谁又能无动于衷呢？

这，恐怕就是古老文明的魅力了。

我们今天要讲的《周易》，就是这样一种古老的文明。可以说，**它就是我们民族精神文明的"金字塔"，是我们民族最早的智慧结晶**。早到什么程度呢？比古埃及的金字塔大约晚六百年，但比"**轴心时代**"早。什么叫"轴心时代"？轴心时代，是德国哲学家雅斯贝尔斯的概念，也翻译为"枢纽阶段"。雅斯贝尔斯说，在公元前 800 年至公元前 200 年，世界上几个重要的文明民族，都出现了自己伟大的精神领袖和精神导师，包括印度的释迦牟尼，以色列的犹太先知，古希腊的毕达哥拉斯、苏格拉底、柏拉图、亚里士多德，还有咱们中国的孔子、老子等等。这些伟大先哲的思想，至今还影响着人类的生活。显然，这是人类文明的重大突破时期，很了不起，所以称为"轴心时代"。

但是，咱们的《周易》，比"轴心时代"还早。早多少呢？大约还要再过差不多五百年，孔子、毕达哥拉斯和释迦牟尼才会诞生；然后再过差不多一百年，也就是《周易》出现六百年后，墨子、苏格拉底和柏拉图才会诞生。至于孟子、庄子、亚里士多德，则要比《周易》差不多晚七百年。因此，《周易》也是人类精神文明的"金字塔"。而且，它也跟古埃及那个金字塔一样，充满了神秘，充满了谜团。

怎么个神秘，有什么谜团呢？这可说不完。举个例子吧！比方说，学术界一直有一种说法，说数学上的"二进制"，就是 17 世纪德国哲学家莱布尼兹，在《周易》的启发下发明的。有了二进制，才有后来的电子计算机。这样算下来，我们今天能有电脑用，还得感谢《周易》。这也实在是太神了一点，很能让人觉得我们先前，确实是"阔多了"。可惜这事是真是假，也还说不清。据我所知，事情大体上是这样的：早在 17 世纪初，英国的代数学家哈里奥特，就在他未发表的手稿中提到了二进制。1670 年，卡瓦利埃里又一次重复了这一发现。后来，莱布尼兹自己，也独立完成了这一发现，时间大约是在 1672 年到 1676 年。但是，莱布尼兹并没有马上把这一发现公之于众。1703 年 4 月 1 日，莱布尼兹收到了法国传教士白晋的一封回信。白晋在信中告诉他，中国《周易》的"八卦图"，排列顺序与二进制记数法是相同的。这下子莱布尼兹高兴坏了。他没想到，自己的发现，与几千年前中国圣人的创造，竟然如此一致。他也为自己解开了古老的《周易》之谜而欣喜若狂。

这当然也不错，仍然能证明《周易》很牛。遗憾的是，白晋提供给莱布尼兹的图，是宋代哲学家邵雍改画的，并非《周易》的原图。就算是原图，也只能说《周易》"印证"了莱布尼兹的发明，不能说"启发"。这事韩雪涛先生有一篇题为《莱布尼兹、二进制与〈周易〉》的文章,说得很清楚,有兴趣的朋友不妨查看。

不过,就算是"误打误撞",或者如李约瑟所说,是《周易》中的"无意识巧合",被莱布尼兹"有意识地发现",也不简单。它至少说明,我们后人对《周易》,是可以做数学解释的。甚至我们也可以相信,《周易》当中确有某种数学的秘密。其实,也不光是数学,《周易》跟天文、历法、音乐、建筑、医学等等,都能扯上关系。古代的中国人,但凡有事,祭祀啦,打仗啦,做生意啦,娶媳妇啦,都要请教《周易》。现代的中国人,买房子,开公司,考大学,找工作,生个孩子起名字,也最好能有懂《周易》的人帮忙。所以,那些所谓"总裁国学班"之类,多半都要开《周易》课程。实话实说,这些拉扯,十有八九,其实不靠谱,是瞎掰,但又多少有些"影儿",至少"沾边"。这说明什么呢?说明《周易》里面,确实有些"道道";而这些"道道",又构成了一个开放的系统,这才可以"仁者见仁,智者见智",看风水的可以用来看风水,讲哲学的可以用来讲哲学。

这就非同小可,甚至堪称伟大了。有几本书会像《周易》这样,能让人们从不同角度做多种解释,还都能讲得通呢?也就是《老子》和《红楼梦》吧!《老子》和《红楼梦》,也是既说不清又说不尽的。陈鼓应先生曾借用尼采的比喻说,老子的思想就像永不枯竭的水井或清泉,只要我们把桶放下去,就一定满载而归(《老子哲学系统的形成》)。《周易》也是这样——要帝王术有帝王术,要房中术有房中术,要生意经有生意经,要辩证法有辩证法,全看你放下去的是哪只桶。

或许有人会说,这些都是后人附会,不算。好,就算像你说的那样吧!但《周易》能提供这些"题目",让大家借题发挥,至少也是"酵母"吧?大家对它感兴趣,恐怕也因为它触动了我们某根敏感的神经,搔到了我们的痒处吧?

再说了,后人在"附会"的时候,也不是一点"谱"都没有。至少,得跟《周易》对得上"号"。这就不可能不受到它的影响。其实,《周易》最重要的意义,就在于提供了一种世界观和方法论。也就是说,《周易》对后世的影响,主要是教会我们怎样看问题。于是,我们民族的很多思想,源头都可以追溯到《周易》。比如我们后面要讲的中庸和老子,就直接与《周易》有关。所以,《周易》不但是中国智慧的"金字塔",也是中国智慧的"昆仑山",即"万水之源"。讲中国智慧,不能不从《周易》开始。

可惜,《周易》又是一部非常难讲的书,更何况我也不是研究《周易》的。所以待会儿提问的时候,千万不要请我算卦,也不要请我看风水。这个我不会。我今天只能够非常简单地向大家介绍一下《周易》,然后呢,谈一谈从《周易》当中获得的一些启迪。所以今天下午的讲座,主要是三大部分的内容:第一部分,什么是《周易》。第二部分,《周易》的方法。第三部分,《周易》的启示。这三个部分,有话则长,无话则短。下面,就分为八节来讲。

二 《易经》与《易传》

先讲什么是《周易》。

什么是《周易》？我们通常所谓《周易》,其实包括两个部分,一部分叫《易经》,另一部分叫《易传》。请注意,这里的这个"传"字,不念传达的传,要念传记的传。一个《易经》,一个《易传》,合起来,统称《周易》。有人说,《易传》不算,《周易》就是《易经》。这当然也有道理。可惜后世读《周易》,很少有不读《易传》的,还是搁在一起说吧！

那么,《周易》为什么既有"经"又有"传"？这就要搞清楚什么叫"经",什么叫"传"。经者常也。经,就是"总这样",叫"经常";也是"不会变",叫"恒常"。可见所谓"经",就是永恒真理,刘勰的《文心雕龙》称之为"恒久之至道"。既然是永恒真理,那就颠扑不破,也就字字珠玑句句有理，刘勰称之为"不刊之鸿教"。这话直译过来，就是"一个字都动不得的伟大教导"，也就是绝对真理。这些永恒真理和绝对真理写成书，就叫"经"。或者说，**经，就是代表永恒真理和绝对真理的著作**。这是我们古人的观点。

中国古代的"经"有哪些？儒家认为有六部，号称"六经"。其中一部已经失传了，剩下五经——诗、书、礼、易、春秋，也就是《诗经》、《书经》、《礼经》、《易经》、《春秋经》。这些经典著作，是不是代表着永恒真理和绝对真理，怕是不好说，咱们姑且不论。至少，它们都有两个问题，一是年代久远，二是语焉不详。这两条加起来，就给后人的阅读造成了障碍，造成了困难。比如《易经》的第一句是这样的——

乾。元亨利贞。

请问，你读得懂吗？读不懂吧！

再比方说，《春秋经》的头三句是——

元年春王正月。三月，公及邾仪父盟于蔑。夏五月，郑伯克段于鄢。

咋回事呀？弄得明白吗？不明白吧！

所以，后来大家就都觉得，光有"经"是不行的，还得有"传"。传，就是对"经"的解释、阐释、说明、补充、发挥。比方说《春秋》，原本是鲁国的史书，后来被儒家奉为经典。给它作注解、阐释、补充的，就叫做《春秋传》，一共有三部，号称"春秋三传"。其中最有名的，是左丘明的传，简称《左传》。当然，《左传》是不是左丘明写的，还有争论。但可以肯定，《春秋》是既有经，又有传。

同样，《周易》也是有经有传。不过，《易经》和《易传》，其实相差很大，满不是一回事。怎么不一样？内容不同，成书年代也相差很远。学术界一般认为，《易传》应该是战国末期到秦汉初年的作品。《易经》呢，那就早得很了，大约是在周代的初期，或者是殷周之际。《易传·系辞下》的说法更具体，干脆就说是在周文王的时候。司马迁也说《易经》六十四卦的著作权，应该属于周文王。不过我觉得，《易经》也未必就是周文王一个人的著作。但要说它的完成"当殷之末世，周之盛德"，则很有可能。这样一来，《易经》的成书年代，就大约在公元前1046年前后。与《易传》的成书年代，要相差八百年左右。

不过，两书最大的区别，还在内容。简单地说，《易传》是一本哲学书。《易经》呢，则是占卜的书。占卜这种事，很早就有，世界各民族都有。比如西方人，就有占星术嘛！但是中国人也好，西方人也好，周人也好，殷人也好，占卜的方法，各不相同。殷人的方法是什么呢？用甲骨。具体地说，就是把乌龟的壳，或者兽类的骨头拿来，先在上面钻眼，然后放到火里面去烧。烧的时候，这个钻了眼的龟甲或者兽骨，会有裂纹，还会"扑扑扑"的响，所以叫"卜"。占呢？就是察看。看什么呢？看裂纹的走向和形状。然后由巫师来说，哎呀，这个是凶，这个是吉；这个事情可以做，这个事情不能做。然后把这个占卜的结果，用文字刻在这个龟甲或者兽骨的裂纹旁边，这样的文字就叫甲骨文。这是殷人（商人）的方法。

殷人用甲骨，周人用什么？用草，叫做"筮"（读如世）。用来做筮法的草，叫"蓍"（读如诗）。蓍草一共五十根，二十五根长的，二十五根短的。然后呢，随便从当中抽出来一根放在旁边，这叫"大衍之数五十，其一不用"。剩下的四十九根，任意分堆。分下来看，最后是几根长的几根短的，然后根据这个做解释。

这样一说，相信大家都清楚了——殷人用龟甲，周人用蓍草；殷人的方法是卜,周人的方法是筮。但是不管卜也好,筮也好,关键在于怎么解释。上古时候,这个解释权,当然是属于巫师的。问题是,巫师也不能乱解释,不能信口雌黄,得有道理,有依据。这个依据,还得有权威性。怎样才有权威性呢?自然是某种解释或解释方法,屡试不爽。因此,这些解释和解释方法,就得记录在案。所以,据说夏商周三代,便都有卜筮之书。其中,夏代的叫《连山》,商代的叫《归藏》,周代的叫《周易》。这在历史上,就叫"三易"。

当然,这种说法,也未必可靠。因为夏代有没有文字,还很可疑,我们且不去管它!总之,《易经》就是用来算卦的,是卜筮书。《易传》则应该说是哲学书,而且很可能与荀子学派有关。郭沫若先生就有这个主张,李泽厚先生也说《易传》是"整个儒家最基本和最高的哲学典籍"(《中国古代思想史论》)。算卦和哲学,不是一回事吧?所以我们在引述《周易》的时候,要分清楚是经文还是传文。经是经,传是传,不能混为一谈。你可以说《周易》上怎么讲,但不要轻易说引用了《易经》。比如"天行健,君子以自强不息",就是《易传》的话。说是《易经》上的,就不太准确,不太严谨。《易经》是占卜之书,怎么会说这个话?

这就有意思了。一本算卦的书,怎么就成了我们民族智慧的结晶呢?

原来,**《周易》是巫术当中有哲学,至少有哲学精神**。这种哲学精神,在《易经》那里就有了。或者说得严谨一点,《易经》至少是有哲学意味的。这种哲学意味,后来被发扬光大,就变成了《易传》对《易经》的哲学解释。而且,按照后人的解释,这种哲学意味或者哲学精神,还就体现在"周"和"易"这两个字当中。弄明白这两个字的奥秘,我们也许就能走进《周易》这座"金字塔"。

三　周与易

先说"周"。

周，它的第一个意思是**周代**，或者说周人、周民族。《周易》是周人的作品，这一点没有问题。第二个意思是**周遍**，或者说周到、周密、周全。它的意思，就是说《周易》讲的事情无所不包，严丝合缝，非常全面，什么都讲到了。第三个意思叫做**周转**，也就是周而复始。就是《周易》讲世界宇宙的原理，从一个起点出发，讲了一圈后，又回到这个起点，一切从头开始。周人、周遍、周而复始，这就是"周"字的三个意思。

再说"易"。

易，也有三个意思。第一，**简易**，就是它非常简约，也很平实，还很容易。是不是这样呢？也是也不是。《易经》的内容，只有六十四个符号，再就是这六十四个符号的名称和解释，分别叫卦名、卦辞和爻辞，确实简易。但要说容易，就不好讲了。不过，简约平易，倒真是《周易》主张的风格，提倡的精神。《易传·系辞上》说——

> 乾以易知，坤以简能。易则易知，简则易从。易知则有亲，易从则有功。有亲则可久，有功则可大。可久则贤人之德，可大则贤人之业。易简而天下之理得矣。

什么意思呢？翻译过来就是这样：乾，是很平易的。因为平易，所以充满智慧。坤，是很简约的。因为简约，所以富有能力。平易，就容易知晓；简约，就容易遵从。容易知晓，就有亲和力；容易遵从，就有创造力。有亲和力，就能长久，成为永恒真理；有创造力，就能壮大，成为发展动力。天长地久的永恒真理，能够成就贤人的品德；不断壮大的发展动力，能够成就贤人的事业。《易》虽然简约平易,却囊括了全部真理啊!

这当然未免夸大其词,但有道理。什么道理?简约平易,确实是真理的特征。我赞成这样一种观点:**越是高级的东西越简单,越是真理越明了。**一种观点,一种学说,如果不能用简约平易的方式去表达,不能用最通俗易懂的语言讲清楚,那它还是不是真理,就值得怀疑。真理一定是简约平易的,**《易》就是简约平易的真理。**这是第一个意思。

第二个意思,**变易。**其实,易,就是变。易这个字,它的起源也有三种说法。第一种,认为上面是一个日,下面是一个月,日月为易。白天太阳,晚上月亮,走了太阳,来了月亮,变嘛!第二种,说是蜥蜴,就是变色龙。蜥蜴会变颜色的,易就是蜥蜴,所以也是变。第三种解释,可能更靠得住一些,就是倒水。请看易的字形图——

甲骨文易　　　甲骨文易　　　金文易　　　金文易
　　　　　　　　　　　　　　　（孟鼎）　　（毛公鼎）

很清楚,甲骨文的"易",最早是两只手抓住一个杯子,把这个杯子里的水倒到另一个杯子里去,也是变。或者说,易位。后来,省掉了手和另一个杯子,只有倒水。再后来,就变得很像现在的字形了。总之,日月、蜥蜴、倒水,意思都是变。易既然是变,那么,**《易》就是关于变易的真理。**这是第二个意思。

第三个意思呢?是**不易。**不易不是不容易,是不变。也就是说,易是变,同时又是不变。这也是中国古文字的一个特点,往往同一个字,代表着正反两个方面的意思。比方说"乱"（亂），在上古就同时是"治"。《书经》的《泰誓篇》讲，周武王伐纣的时候发表演说，说"受（纣王）有亿兆夷人，离心离德；予有亂臣十人，同心同德"。这个"亂臣"，就是"治臣"，不是"乱臣贼子"。这话的意思，是说殷纣王那边人很多，但不跟他一条心；我虽然只有十个人，却都能治理国家，而且心往一处想，劲往一处使。实际上，治理的"治"，本来是"亂"（乱）这个字，这个字（亂）的本义也是"治"。这一点，看看字形就知道——

乱

很清楚吧？亂的字形，是上面一只手（爪），下面又一只手（又），中间是丝。丝容易"乱"，所以必须用一只手在上面抓着，又一只手在下面托着，才有可能"理顺"。理顺就是"治"，不顺就是"乱"。所以，亂，本义首先是"治"，其次才是"乱"。现在我们写的治国的"治"，三点水那个"治"啊，原本是治水的"治"。治丝的治，治国的治，都是"亂"。后来，大家觉得治和乱都用一个字，也太乱了，这才用治水之"治"，代替了理丝之"亂"（治）。

治就是乱，乱就是治。没有乱就没有治，没有治也没有乱，这就是中国文字表现出的辩证法。同样，易，就是变，也是不变。没有变，就没有不变；没有不变，也没有变。不过这样一说，很多人就会犯糊涂，就会问，那你这个"易"，到底是变还是不变呢？这一点，《周易》的思想也非常明确。《周易》认为，我们这个世界，有变有不变，也变也不变。什么变,什么不变呢?事情变,现象变,事物和现象背后的规律不变。也就是说,**变化的是现象,不变的是规律**。而且,**现象不断变化,也是规律**。因此,我们这个世界,永远都在变化,唯一不变的就是变。**变是不变的。变化的规律(怎样变),也是不变的**。

变(易)既然是不变(不易)的,那它就是可以认识、可以掌握的。《周易》要做的事情,就是要把这些规律找出来,然后告诉我们。告诉了没有呢?古人认为告诉了。而且他们认为,《周易》告诉我们的这些规律,也是不变的。因此,《易》就是永恒不变的真理。

这就是所谓"周易"了。它是简约平易的真理,关于变易的真理,永恒不变的真理,同时还是周遍周全的真理。或者说,**所谓"周易",就是要用最简单的符号和系统(简易),来认识、概括、掌握和阐释不断变化的现象(变易)背后永恒不变的本质规律(不易)。而且,这种把握,还是周遍、周到、周全、周密,可以周而复始(周)的**。这就叫"易简而天下之理得"(《系辞上》)。当然,是否真"得",也不敢说。但至少,有这个追求。

这就不是巫术了。或者说,不简单的只是巫术了。因为它已经有了哲学的意味,甚至有了哲学的精神。它成为我们民族智慧的结晶,并不奇怪。

问题是,《周易》的这个追求,又是怎样做到的呢?

四 《周易》的方法

说起来,《周易》的方法也就三条:**抓住根本,掌握规律,建立系统**。

先说"抓住根本"。

根本是什么?在《周易》看来,就是**阴阳**。这话听起来玄乎,其实不难理解。《红楼梦》第三十一回,写史湘云和她的丫环,叫翠缕的,讲阴阳。这丫环开始不懂,问史湘云说,这阴阳是个什么东西啊?

没影没形的。湘云就告诉她，阴阳就是事物的性质嘛！比方说，天是阳，地是阴；火是阳，水是阴；日是阳，月是阴。翠缕说，今天我可明白了，难怪大家都管那日头叫太阳。又问，难道那些蚊虫跳蚤、花儿草儿、石头瓦片，也有阴阳不成？湘云说，当然有。比如树叶，朝上的就是阳，朝下的就是阴。又比如扇子，正面就是阳，反面就是阴。再比如飞禽走兽，雄的就是阳，雌的就是阴。于是翠缕大受启发，说咱们人，也应该有阴阳。湘云以为这丫头要说到"儿童不宜"的事情去，就沉下脸训她"下流东西"。然而翠缕却认真地说，姑娘和我就有阴阳。史湘云想，这丫头简直是脑袋进水了，我们两个女人哪来的阴阳？我们都是阴啊！谁知翠缕一本正经地说，主子是阳，奴才是阴，你以为我不懂呀！

这下子湘云无话可说，只好不了了之。为什么无话可说？因为《易传》就是这么主张的。《易传》认为，天地人伦，都有阴阳，也都有尊卑。比方说，天是阳，地是阴；君是阳，臣是阴；父是阳，子是阴；男是阳，女是阴。天在哪里呢？高高在上。地在哪里呢？匍匐在下。所以，天是尊贵的，地是谦卑的。由此推论，君尊臣卑、父尊子卑、男尊女卑。总之，阳为尊，阴为卑。反过来，尊者一定为阳，卑者一定为阴，这才有"主子是阳，奴才是阴"的说法。显然，这是为宗法伦理张目的混账话，我们不要理它！

不过，如果不说尊卑，也不说什么主奴，那么，翠缕倒是个懂《周易》的。因为她已经明白，**世间一切事物，都有阴阳，或者说，都可以分为阴阳**。就连同一事物，也如此。比如手心是阴，手背就是阳；闭眼是阴，睁眼就是阳；影是阴，光就是阳；寒是阴，暑就是阳。所以，《易传·系辞上》就用这样一句话，来概括《周易》的思想——

一阴一阳之谓道。

这话什么意思呢？它的第一层意思，也是最基本的意思，是说我们这个世界，归根结底，由阴与阳这两个选项构成。比方说，物质，有阳性物质与阴性物质；现象，有阳性现象与阴性现象；规律，有阳性规律与阴性规律。抓住了阴阳，也就抓住了根本。

那么，《周易》为什么会想到用阴阳做根本？说法也很多。但我想原因之一，恐怕就因为它原本是卜筮之书。这个占卜，说到底只有两个选项：一个凶，一个吉；或者说，一个可，一个否；再或者说，一个Yes，一个No。它就两个选项。现在我们福建很多寺庙里面，如果要求签，就用两块像鱼一样的竹片或者木片，合在一起往下"啪"一摔，要么两个都朝上，要么两个都朝下，要么一个朝上一个朝下，然后再去看，是不是，对不对，可不可以，同不同意。它就是可与否、凶与吉、是与非，就两个选项嘛！

问题是，占卜当中的是与非、可与否、凶与吉，到了《易经》里面，怎么就变成了阴与阳呢？原因很简单，就因为这三组选择，都是判断。是与非，是事实判断；可与否，是决策判断；凶与吉，是结果判断。如果只有判断，没有认识，那就仍然是占卜，不是哲学。幸运的是，《周易》没有让自己停留在巫术的水平，它还要通过占卜，来达到认识整个世界的目的。怎么认识？再抽象一下。是与非、可与否、凶与吉，再抽象一下，结果是什么？一正一负嘛！这个"一正一负"，可以是南与北、上与下、左与右、白与黑、明与暗、男与女，等等。但是这些，都太具体。最好的表述，还是阴阳。

这就抓住了根本。抓住了根本，就可以"掌握规律"。这也是"一阴一阳之谓道"的第二层意思——**世界变化的规律，就在阴阳的关系之中**。阴阳的关系是什么？**相生、相克、共存、转化**。说得白一点，就是你也存在，我也存在；你中有我，我中有你；你离不开我，我离不开你；你变成我，我变成你。

还是举例说明吧！比方说自然界，总体上讲，天是阳，地是阴。

这两个，都不会哪一天突然没了。而且，没有天也没有地，没有地也没有天。这就叫"**你也存在，我也存在**"。但是，任何事物当中，都有阴有阳。天，虽然总体上说是阳性的，天体却有阴有阳，天象也有阴有阳。太阳就是阳，月亮就是阴。白天就是阳，黑夜就是阴。地也一样。山就是阳，水就是阴。戈壁就是阳，沼泽就是阴。可见天是"阳中有阴"，地是"阴中有阳"。这就叫"**你中有我，我中有你**"。实际上，任何事物，都是阴阳共存，也都有阴阳两面。比方说，同为山，山北是阴，山南就是阳。水边则相反。水北是阳，水南是阴。比如江阴，就在长江之南。山也好，水也好，都不可能只有南，没有北；只有阳面，没有阴面。这就叫"**你离不开我，我离不开你**"。为什么呢？因为孤阴不生，独阳不长，单纯的阴或单纯的阳不可能存在。所以，阴和阳，不但共存，还要转化。比方说，白天变成夜晚，夜晚变成白天。这就叫"**你变成我，我变成你**"。说来说去，还是阴阳二字。

有阴阳，就有刚柔，也有动静。比方说，男人阳刚，女人阴柔；男人动，女人静。阴阳、刚柔、动静，是《易传》提出的三对矛盾。它们相辅相成，构成整个《周易》哲学体系的基础。但最根本的，还是阴阳。这就不简单了。为什么不简单？因为正是这"一阴一阳"，造就了世界的多样性、复杂性和统一性。比如同为水，则海阳刚，湖阴柔；同为山，则岭阳刚，丘阴柔；同为人，则军人阳刚，文人阴柔；同为诗人，则苏轼阳刚，柳永阴柔。这就是**多样性**。山是刚性的，却又是静态的；水是柔性的，却又是动态的。秦腔或豫剧的旦角，很可能比越剧小生阳刚；南方的山（比如桂林），也可能比北方的水（比如黄河）阴柔。这些，都不能一概而论。比如苏州人，是比较温柔的。他们操一口吴侬软语，吵架像唱歌，动手之前还要商量商量：拨侬两只耳光吃吃好哦啦？然而温柔的苏州人，在反抗强权的时候，却硬朗得让人肃然起敬。这就是**复杂性**。但是再多样，再复杂，都无非阴阳关系。这种关系，就像一枚硬币的两面，是相反的，却又是统一的。这就是统一性。

　　世界具有多样性、复杂性和统一性，说到底，还是阴阳的相生、相克、共存、转化，即"一阴一阳"。所以，"一阴一阳"就是好的，也是对的。比如前面说过的求签。你从签筒里摇出一根来，怎么知道这是不是你的呢？用阴阳二鱼验证一下。两个都朝上，不对。两个都朝下，也不对。一个朝上一个朝下，对了。为什么？"一阴一阳"嘛！

　　这就是"道"。抓住了"道"，抓住了"一阴一阳"，就抓住了根本，掌握了规律，也就可以建立系统了。这是个大问题，我们单独作为一节来讲。

五 《周易》的系统

　　认真说来，《周易》的系统，其实有两个，一个是《易经》的，一个是《易传》的。两个系统，并不完全一样，今天只讲《易经》的。《易经》的系统，也有两个，一个是符号系统，一个是文字系统，文字系统是说明符号系统的。所以，我们重点讲符号系统。

　　那么，《易经》的符号系统，又是怎样建立的呢？首先是确定"一阴一阳"这两个根本，然后用两个符号来标识——

　　—— ——　（阴爻）　　————　（阳爻）

　　这两个符号，叫做爻。一个阳爻，一个阴爻，叫做"两仪"。爻，读如摇（yáo），变动的意思。也读如效（xiào），仿效的意思。仿效什么呢？学术界众说纷纭，莫衷一是，我就不细讲了。但有一点可以肯定，那就是仿效世界的变化。《易传·系辞下》说——

　　　爻也者，效天下之动者也。

这就很清楚了。爻，是一定要变化，要动作的，不能搁在那儿不动。怎么动？爻跟爻发生关系。阳爻和阴爻发生关系，阴爻和阳爻发生关系，阳爻和阳爻、阴爻和阴爻自己，也发生关系。这样一来，就产生了四个新的符号——

▅▅▅▅（太阳）　**▅ ▅▅**（少阴）　**▅▅ ▅**（少阳）　**▅ ▅ ▅ ▅**（太阴）

这四个符号，是怎么产生的呢？首先，是一根阳爻上面再加一根阳爻。请注意，《易经》所有的符号，都由爻组成。组成的方式，是从下往上。也就是说，我们数这个数的时候，要从下面往上数。下面一根阳爻，上面再加一根阳爻，两个都是阳，这个就叫"太阳"。然后呢，第二个，阳爻上面加一根阴爻，一阴一阳，阴爻在上，阳爻在下，就叫"少阴"。就是以阳为主，但是有了阴的成分。第三个，阴爻上面加一根阳爻，以阴为主，又有阳的成分，这个叫做"少阳"。最后一个，是阴爻上面也加一根阴爻，就是全阴，叫做"太阴"。太阳、少阴、少阳、太阴，一共四个，叫做"四象"。这是第一步。

第二步呢？在这四个符号上，各自再加一根爻。我们都学过排列组合，都知道加下来是多少。几个呢？八个。这八个符号，是这样的——

第一个符号,是太阳上面再加阳爻,一共三根阳爻,这是乾卦,代表天。还是太阳,上面加一根阴爻,这个叫做兑卦,代表泽。然后,少阴上面加一根阳爻,这个叫做离卦,代表火。再下来,少阴上面加一个阴爻,是震卦,代表雷。再下来,少阳上面加一根阳爻,这是巽卦,代表风。再下来,少阳上面加一根阴爻,是坎卦,代表水。再下来,太阴上面加一根阳爻,是艮卦,代表山。最后,太阴上面加一根阴爻,就是坤卦,代表地。这就是"八卦"。这八卦呢,也有一个记忆的办法,是朱熹想出来的,编成了一首歌——

乾三连,坤六断;

震仰盂,艮覆碗;

离中虚,坎中满;

兑上缺,巽下断。

什么意思呀?乾卦,是三根阳爻。三根都是连着的,所以叫"乾三连"。坤卦呢?三根阴爻,都是断开的,所以叫"坤六断"。震卦,上面两阴爻,断开;下面一阳爻,连着。整个卦象,像一个口朝上的盂钵,所以叫"震仰盂"。艮卦则正好相反,像一个倒扣下来的碗,所以叫"艮覆碗"。离卦呢?当中是阴爻,虚的,叫"离中虚"。坎卦相反,上下是缺的,中间是满的,叫"坎中满"。兑卦,上面是一根阴爻,所以说"兑上缺"。巽卦,下面是一根阴爻,所以说"巽下断"。这就是朱熹的《八卦取象歌》。

朱熹的《八卦取象歌》给了我们一个启发,就是我们会发现,这八卦可以分成四组,每组两卦,刚好相反。乾和坤,刚好是相反的(乾三连,坤六断);震和艮,刚好相反的(震仰盂,艮覆碗);离和坎,刚好相反的(离中虚,坎中满);兑和巽,刚好相反的(兑上缺,巽下断)。为什么刚好相反呢?哈!"一阴一阳之谓道"呀!

看来,说到底,还是阴阳。不过,《易传》认为,阴阳二极之前,还有一个起始,叫"太极"。《易传·系辞上》说——

　　《易》有太极,是生两仪。两仪生四象,四象生八卦。

太极生两仪,就是生出阴阳来了;两仪生四象,太阳、少阳、少阴、太阴就有了;四象生八卦,就有了乾、坤、震、艮、离、坎、兑、巽。这八个符号,就叫"经卦",也叫"小成之卦"。按照后来儒家的说法,它们是伏羲发明出来的。从"太极"到"八卦",这个过程,也可以画成一张图——

再下一步呢?

再下一步,是八卦和八卦相重,这个我就不演示了。我们都学过排列组合,都知道八卦和八卦相重,能重出多少个卦来。多少呢?六十四个,八八六十四卦。这六十四卦,就叫"别卦",也叫"大成之卦"。按照后来儒家的说法,它们是周文王发明出来的。

文王重卦以后,《周易》的系统就建立起来了。这个系统,今天我们去看,恐怕会一个头有两个大。但是,相对纷繁复杂的大千世界,它仍然是非常简约的。其实,我们看不懂,也因为它太简约。用这样简约的一个系统,就要概括整个世界的现象、变化和规律,这无疑是一种"野心"。当然,这种"野心"是很可爱的。不过,我对这个"可爱的野心"没有兴趣。我关心的是,《周易》这样一种古老的智慧,能给我们什么启示呢?

六 《周易》与忧患意识

我认为,《周易》的启示主要有四条:**忧患意识、理性态度、变革精神、中庸原则**。

先说"忧患意识"。

《易经》里面,有"忧患意识"吗?有。《易传·系辞下》说——

　　作《易》者,其有忧患乎?

这就是说,在战国末年、秦汉之初的时候,《易传》的作者就提出了一个问题:当年发明创作《易经》的人,恐怕有忧患吧?我想,这个猜测,应该是有原因的。直接的原因,恐怕就是他们在《易经》当中,读出了忧患。这个我有同感,我也有这样的体验。我其至认为,没有忧患,就不会有《易经》。就算有,也会是别的样子。

问题是,《易经》的作者,为什么会忧患呢?

以前的解释,是说当时周文王被殷纣王关起来了,所以他忧患。我的看法不同。我认为,《易经》充满忧患,就因为它是周人的作品。**周人的特点就是忧患**。周人为什么就忧患呢?也有两个原因。第一,周是农业民族。我们知道,农业生产的特点,是周期长,风险大。春耕夏耘,挥汗如雨,辛辛苦苦,就盼着秋收。但是,一场冰雹,或者一次洪水,就可能颗粒无收。这就要未雨绸缪,也就忧患。第二,周是胜利者,而且胜利来得太快。据史书记载,武王伐纣,是子月出兵,丑月就颠覆了殷商政权,满打满算一个来月的时间。那可是冷兵器时代啊!现在这样高科技的时代,美国颠覆萨达姆,还花了五十六天呢!谁都知道,这来得容易的,去得也快。因此,相传为周公所作的《诗·大雅·文王》,就感慨万千地说,这老天爷的事,可真是没个谱啊(天命靡常)!没谱,又怎么办?也只能谦虚谨慎,好自为之。

于是,在突如其来的胜利面前,周人表现出异常的清醒和深深的忧虑。体现在《易经》,就在它的最后两卦,也就是第六十三卦和第六十四卦——

既济　　　　　　　　　　　　未济

离下坎上　　　　　　　坎下离上

这个第六十三卦,叫"既济"。第六十四卦,叫"未济"。这两卦,什么意思呢?济,就是成功。所以,既济,就是已经成功;未济,就是还没成功。为什么?我们来看看,这两个"别卦",都是由哪两个"经卦"组成的。既济,上面是坎卦,下面是离卦。离中虚,坎中满嘛!那又怎么样呢?坎为水,离为火。上坎下离,这叫"水在火上"(《易传·既济·象辞》)。水在上面,火在下面。水要灭火,能成;火要烧水,也能成。所以说,既济,就是已经成功。未济呢,正好相反,下面是坎卦,上面是离卦。火在上面,水在下面。火往天上飘,水往低处流,根本就不搭界,哪里能成事?所以说,未济,就是还没成功。

前面说过,《易经》六十四卦,是要"包罗万象",概括整个世界的现象、变化和规律的。所以,六十四卦中有"既济"(已经成功),有"未济"(尚未成功),并不奇怪。关键在于它们的先后次序。是什么呢?是"既济"在前,"未济"在后,一个是第六十三卦,一个是第六十四卦。这就有意思了!《易经》六十四卦,从天地(乾坤)出发,一路走来,历尽沧桑,转到第六十三卦,哈,成了! 但它是六十三卦啊! 还有一卦。那六十四卦是什么呢? 未济。嘿,还没成! 没成怎么办? 重新开始,再来一遍。从乾坤两卦,再到既济、未济。这就是《易经》卦序非常高明的地方——最后一卦绝不是成功。成功就完了! 到了顶峰,就走下坡路了! 必须再给你一个未济,才行。它的意思也很清楚:别以为成功了,胜利了,就一劳永逸、万事大吉,可以高枕无忧! 告诉你,天下事,了犹未了。后面的麻烦,多了去。你还是"战战兢兢,如临深渊,如履薄冰"(《诗·小雅·小旻》),夹起尾巴做人吧!

这可真是"革命尚未成功,诸君尚需努力"。于是,**《易经》从最基本、最原始的因素出发,在经历了所有的可能性之后,达到成功,然后走向还没成功,然后重新开始。**其实,这也是一个新的起点,一个更高的起点。

现在看来,周人的这种忧患,《易经》的这个思想,《易传》的作者是读懂了的。所以《系辞下》说——

> 危者,安其位者也。亡者,保其存者也。乱者,有其治者也。是故君子安而不忘危,存而不忘亡,治而不忘乱,是以身安而国家可保也。

这段话的意思很清楚,就是要"居安思危"。居安思危是忧患意识的集中体现,也是我们民族的共识。从孟子的"生于忧患而死于安乐"(《孟子·告子下》),到确定《义勇军进行曲》为国歌,体现的都是这一点。大家想啊,新中国都成立了,中国人民都站起来了,为什么还要唱"中华民族到了最危险的时候"呢? 居安思危啊! 忧患意识啊!

忧患意识是很重要的。学术界甚至有一种观点,认为**中华民族**

文化心理的底色，就是忧患意识。比如曹操这个人，是很阳刚的，甚至很霸道的，但他写起诗来，却是"明明如月，何时可掇，忧从中来，不可断绝"（《短歌行》），简直就是愁肠寸断。所以有学者提出来，读中国古典文学作品，在某种意义上讲，就是体验忧患。最能说明问题的，就是辛弃疾的《丑奴儿》——"为赋新词强说愁"。这就是说，在我们古代，你要成为一个诗人，一个真正意义上的诗人，就不能整天乐呵呵的。整天乐呵呵，那不是"傻小子"吗？你得有忧患啊！可是一个少年，涉世未深，哪来的忧患？为了写诗，也只好装装样子。等到晚年，忧不胜忧，愁不胜愁，反倒"欲说还休，却道天凉好个秋"了。

这就是忧患意识，是我们民族的先哲留下的一笔极其宝贵的思想文化遗产，应该继承，也必须继承。大家知道，改革开放三十年来，我们国家的进步是很快的，成就也是很大的。作为个人，变成所谓"成功人士"的，大约也有一些。那么，我们是不是可以得意一下，翘一翘尾巴呢？我的看法，是稍微翘一下就好了。为什么可以"稍微翘一下"呢？因为毕竟憋屈了那么久。为什么只能"稍微翘一下"呢？因为"既济"的后面是"未济"。我们将来的路，还长着呢！我们现在的问题，也还多着呢！还是"居安思危"的好。得意忘形，牛皮哄哄，动不动就说什么"不高兴"，至少也是不成熟的表现吧？

七 《周易》与理性态度

再说"理性态度"。

实际上，忧患意识同时也就是理性态度。因为所谓忧患，就是既非盲目乐观，也非一味悲观。可见没有理性，也不会有忧患。没有理性会怎么样呢？要么得意忘形，肆无忌惮，以为天上总会掉馅饼。要么提心吊胆，疑神疑鬼，歇斯底里，神经质。

周人有理性，所以忧患。因为忧患，所以《周易》就从巫术变成了哲学。

哈,我这样说,肯定会挨骂。那些"愤青"会跳起来说,你怎么能说我们中华民族最伟大的经典是巫术呢?你这不是侮辱中国人民吗?还有,你怎么能说巫术变成哲学呢?你这不是要搞伪科学吗?

对不起,我得实事求是的告诉大家,第一,《易经》原本就是巫术。第二,巫术不是贬义词,我这里的说法只是一个客观的表述。第三,巫术也不是伪科学。至少,原始时代的巫术不是。那它是什么呢?**前科学**。或者说,**科学前的科学**。

这个事,恐怕要稍微说明一下。如果大家有一点文化人类学的知识,那就应该知道,巫术是人类文化最早的模式之一。这么说吧,人类最早的物质文化模式,是工具;最早的精神文化模式,是巫术。然后,才有科学和宗教。科学和宗教都来源于巫术。不过,宗教和巫术,是相反的。科学和巫术,则有惊人的相似之处。有什么相通的呢?就是科学和巫术都相信两点:第一,世界的变化是有规律的,因此世界是可以认识的。第二,人类一旦认识了自然,掌握了规律,就能够利用自然、控制自然、改造自然。

请大家想一想,科学是不是这样认为的?是吧?那我告诉你,巫术也是这样认为的。只不过,巫术掌握的规律,是想当然的,是错误的。科学掌握的,才真是规律。比方说,巫术相信一条,叫做"部分等于整体"。因此,小孩子换牙的时候,那个掉了的乳牙,可要好好处理。处理不好,被坏人或仇人拿了去念咒语,就会生病。这当然是错误的认识。那颗牙齿,谁拿了念咒语也没用,不会生病。但是,巫术的这个用心是好的,方向也是对的,不对的是路径。问题在于,谁也不是生下来就会走路的,谁也不是一开始就能走对的。你不走,怎么知道对不对呢?你不试,怎么知道行不行呢?即便是科学研究和科学发明,也要"试错"嘛!**巫术,就是人类认识的"试错阶段"。**

这样试着试着,原始时代的人类,就逐渐地总结出一些真正的规律。这些规律,主要是从生产劳动的实践中总结出来的。但也有一些,来自巫术。因为巫术认为的事物之间的关系和联系,也有一些是有道理的。这个时候,科学就产生了。科学诞生于巫术,所以巫术是"前科学",不是"伪科学"。或者说,原始巫术是"前科学",不是"伪科学"。科学诞生之后,如果还要搞巫术,还要说他们搞的是科学,那就是"伪科学"了。总之,掌握了正确方法和路径的,是科学。方法路径不对头,对规律的认识想当然,却当作规律来用,是巫术。鉴定的办法,就是看在相同条件下的相同操作,结果是不是相同。如果一时半会弄不清,就先别下结论。伪科学的帽子,也不宜随便乱扣。

巫术变成科学,是人类认识的进步。可惜科学也不是万能的。何况原始时代的科学,水平还很低,总会有认识不到的地方,解决不了的问题。这个时候,宗教就产生了。为什么呢?因为我办法都用完了嘛!我用过了巫术的办法,不能解决问题。我现在用科学的办法,还是不行。那我就只好相信,自然界有一种不可抗拒的神秘的力量。我只能拜倒在这个力量前面,五体投地,诚惶诚恐。

由此可见,宗教和巫术刚好是相反的。巫术是征服,宗教是臣服。科学和巫术则是相通的,只不过科学走对了路,巫术没走对。但是,没有巫术,就没有科学,也不会有宗教。所以,世界各民族在她的原始时期,都有巫术,都要经过巫术阶段,这是无一例外的。不同的是,在西方人那里,巫术逐渐发展为科学。而在我们这里,在《周易》这里,巫术变成了哲学。《易经》就是巫术中有哲学,《易传》就是哲学中有巫术。

从巫术变成哲学,这是思想的飞跃,也是理性的胜利。为什么这样说呢?因为巫术虽然可以变成科学或者哲学,却并不一定就变成科学或者哲学。它还可以变成艺术或者迷信。变成艺术,是感性的胜利。变成迷信,是愚昧的胜利。周人把它变成了哲学,就说明周人的态度是理性的。

态度理性,又怎么样呢?很简单,"术"就变成了"道"。我们知道,巫术这玩意,原本是一种"技术"。只不过,是巫师的技术,所以叫"巫术"。但不管怎么说,巫术是很讲究"技术性"的。咒语怎么念,动作怎么做,一点都不能出错。一个字念错,或者一个动作没做对,那事儿可能就黄了。《周易》关心的却不是这些。它关心的,是一个根本性的问题,那就是:世界为什么会纷繁复杂、千变万化? 结论是:**因为阴与阳"你中有我,我中有你"。**这是世界的本质特征,而且就体现在《易经》的符号系统中,《易传·系辞下》概括为八个字——

阳卦多阴,阴卦多阳。

理解这句话,要有一点知识。就是八卦的性质,可以分为两类——阳卦和阴卦。决定它们性质的,是卦画,也就是笔画。卦画为单数的,叫"奇"(读如基)。卦画为双数的,叫"偶"。奇数为阳,偶数为阴。比如乾坤两卦之外的六个"经卦"——

兑　　离　　震　　巽　　坎　　艮

请看,震、坎、艮,都是五画,是阳卦。巽、离、兑,都是四画,是阴卦。但是,震、坎、艮,都是两阴爻,一阳爻,阴爻比阳爻多,这就叫"阳卦多阴"。巽、离、兑呢? 却都是两阳爻,一阴爻,阳爻比阴爻多,这就叫"阴卦多阳"。这说明什么? 说明**阳性物质或阳性现象,往往阴性成分多。阴性物质或阴性现象呢? 反倒是阳性成分多。**大家可能会问:那又怎么样? 告诉你:这就**非变不可!**为什么非变不可? 矛盾嘛! 而且,这矛盾还是内在的嘛! 何况要变也不难。比如把兑卦最下面那根阳爻提到最上面，就是离；换成阴爻，就是坎。再比方说，震卦掉个个儿，就是艮；巽卦掉个个儿，就是兑。这叫什么？这就叫"**变卦**"。我们生活中，常常会说"你这个人怎么变卦了"，就从这儿来的。

由此可见，"你中有我，我中有你"的结果，必然是"你变成我，我变成你"。这就是"道"，即"一阴一阳之谓道"。《周易》把这个"道"揭示出来了，它也就从巫术变成了哲学。这就是理性的胜利。而且，这种理性的态度，还必然会表现为变革的精神。

八 《周易》与变革精神

变革，确实是《周易》的精神。《周易》有一个基本思想，就是认为**变是好的，不变是不好的；能够变是好的，不能变是不好的**。比如六十四卦当中，有这样两卦，一个叫泰卦，一个叫否卦。泰，我们知道，就是好嘛！比如三阳开泰、国泰民安。否，读如痞，是不好的。这两卦，卦象如图所示，是这样的——

请大家仔细看看，能不能看出这两卦的特点？能看出这两卦的关系吗？哪位说说？对对对！这两卦的卦象，也就是它们的样子，刚好是相反的。怎么个相反呢？一个是坤卦在上，乾卦在下；另一个是乾卦在上，坤卦在下。乾是什么？天。坤是什么？地。那么请问，我们平时看到的现象，天是在上面，还是在下面的？天是在上面的。地呢，本来是在下面的。这样说来，上乾下坤，就应该对了，是不是？

可是我们来看泰卦和否卦，是什么样子呢？泰卦，是地在上，天在下；否卦，是天在上，地在下。按照我们的理解，天在上，地在下，这不就对了吗？可是《易经》说不对啊，不好啊，是"否"啊！为什么不对，为什么不好？《易传》做了一个解释——

《象》曰：天地不交，否。

原来，天在上，地在下，就没有问题，没有矛盾，就不好了。没有问题，没有矛盾，怎么就不好呢？因为就不会发生关系（天地不交），也就不会变啊！那么，怎样才好呢？地在上，天在下，最好！地在上，天在下，怎么会最好呢？因为位置不对啊！位置不对，又有什么好呢？它就要变啊！可见泰卦的好，好就好在它"不对"。对了就不好，就是否卦了。这叫什么呢？这叫**有矛盾就有冲突，有冲突就有变化，有变化就有发展，有发展就有前途**。如此说来，有矛盾，有冲突，有变化，岂非天大的好事？

哈！这就不是"**不怕变**"，而是"**怕不变**"了。我们知道，"不怕变"已经很了不起，"怕不变"就更了不得。为什么呢？不怕变，是被动的。世界要变，我也没有办法，只好跟着变。怕不变，则是主动的。你不变，我还着急。当然，按照《周易》的观点，我们这个世界，永远都在变化，唯一不变的就是变，因此不必怕它不变。但是，能够"怕不变"，就说明我们已经有了足够的思想准备和应变能力，有了主动权。这是很了不起的。

实际上，不变，也不可能。为什么？因为"阳卦多阴，阴卦多阳"。阳性物质或阳性现象，往往阴性成分多。阴性物质或阴性现象，则反倒是阳性成分多。阴性成分多，阳性物质或阳性现象，就迟早会变成阴性物质或阴性现象。反过来也一样。比方说，白天变成黑夜，黑夜变成白天；或者说，夏天变成冬天，冬天变成夏天。

显然，变，是必然的，也是好事。所以，《易经》当中，但凡"吉卦"，都是暗示着变化的。比如咸，是泽上山下；革，是泽上火下；丰，是雷上火下。这些都吉利。相反，睽，火上泽下；遁，天上山下；噬嗑，火上雷下，就意味着不顺利，不成功。

看来，当周人将多次卜筮的经验，整理为《易经》的符号系统和文字系统时，他们已经悟出了一个道理——"事物在变化发展时就有前途，是吉的；停滞、不变化，就没有前途，是凶的"（任继愈《中国哲学史》）。当然，他们也同时悟出了一个道理——**既然世界永远在变，既然变化的规律是有章可循的，那么，与其在世界的变化面前惊慌失措，不如掌握规律，让事情尽量向好的方向发展，甚至主动去变革。**

这就是变革精神，也就是理性态度。

问题是，怎么变？

关于这一点，《周易》也提供了三条意见。首先是**穷极而变**。《易传·系辞下》说——

易，穷则变，变则通，通则久。

穷，就是发展到极点，叫"穷尽"。任何事情走到尽头，就要变，即"变革"。变了就通，即"通畅"。通了就久，即"长久"。因此，**长久是因为变通，变通是因为穷尽**。比方说，一年当中，最冷是什么时候？三九。最热是什么时候？三伏。三伏中的末伏，是从立秋以后的第一个庚日开始的。三九，则是冬至后的第十九天到第二十七天。可见到了三伏，其实已经热到头了。到了三九，也冷到顶了。所以，三九，其实是阳气上升之时。三伏，则是阴气上升之日。结果大家都知道，一个是春暖花开，一个是秋风萧瑟。

这是能够给我们启发的。比方说，某个时候，你觉得倒霉透了，就千万不要沮丧。咬咬牙，挺过去，也就"柳暗花明"。同样，一帆风顺，红红火火，也千万不要"春风得意"，倒霉的事一定在等着你。为

清 黄慎 赏菊图

周人有理性，所以忧患。因为忧患，所以《周易》就从巫术变成了哲学。

———易中天语

什么？穷极而变。所以，逆境中，要有信心。顺境中呢？最好还是居安思危，夹起尾巴做人。

这就是《周易》提供的第一条意见。第二条呢，是**与时俱进**，即把握时代脉搏，顺应时代潮流。《易传·系辞下》说——

变通者，趣时者也。

趣，就是趋。趣时，就是趋时。《易传》叫"与时偕行"（《乾·文言》），现在叫"与时俱进"。为什么要"与时俱进"？因为时势的变化，最能反映客观的规律。规律是不能违抗的，只能顺应。比方说，秋凉了，就要加衣服；春暖了，则要减。这个你不能拗着来。当然，也有"春捂秋冻"的说法。但那其实是为了更好地"与时偕行"，不是要对着干。

可见，时，也就是势。势不可挡，所以只能与时俱进。这里说的"时"或者"势"，包括自然的，也包括社会的，即"时代潮流"。时代潮流，也是"势不可挡"的。因此，你想长久吗？那好，请你变革！**只有与时俱进，才能长治久安**。这是《周易》提供的第二条意见。

第三条，就是**恰到好处**。这一条，牵涉到《周易》的"中庸原则"，我们单独来讲。

九 《周易》与中庸原则

《周易》也讲中庸吗？讲。为什么讲？因为按照《周易》的观点，任何事物，都是发展变化的。既然是发展，是变化，那就会有一个过程。这个过程，也有三个阶段。开始的时候，也就是第一阶段，变化还不显著。事物的特征，也就显现不出来。最后一个阶段呢？按照"穷极而变"的规律，又会走向自己的对立面，由阴变成阳，或者由阳变成阴。这样算下来，最好的、最适宜发展的，可不就是中间那个阶段？这就是中庸了。

为了说明这一点，我们不妨来看一个例子——

 乾卦

现在大家看到的，是六十四卦中的乾卦。对它的解释，关键在于爻辞和《乾·文言》。《乾·文言》，是《易传》中的一篇，据说是孔子的作品。这个当然靠不住，我们不去管它。爻辞，则是《易经》的文字之一。《易经》的文字有三种：卦名、卦辞、爻辞。比如《易经》第一句话，是"乾。元亨利贞"。乾，就是卦名。元亨利贞，就是卦辞。卦辞是说明全卦的。除了卦辞，还有爻辞。爻辞是说明每一爻的。《易经》六十四卦，每卦六爻。它们的位次，是从下往上数，不能从上往下数。最下面一位，叫"初"。最上面一位，叫"上"。其余四位，二、三、四、五。遇到阴爻，就称为"六"。遇到阳爻，就称作"九"。乾卦是六根阳爻。因此，依次是初九、九二、九三、九四、九五、上九。

现在我们来看，乾卦的爻辞怎么说？

乾卦爻辞的第一句，是"初九，潜龙勿用"。为什么会有这样一个解释？我们知道，乾，是纯阳之卦。所以，我们看初爻的时候，必须"见初阳而不见其余之阳"。换句话说，就是要把上面五根，都看成性质相反的，看成阴爻，这才符合"阳卦多阴"的原则。这样得出的印象是什么呢？是一条龙在最底下（一阳爻），上面是万丈深渊（五阴爻）。这个时候，你就不要乱动。不动又怎么样？潜伏。而且，《乾·文言》还可能有一种观点，就是将天时的十二个月，分配于六爻，每爻两个月。龙的活动，从下往上，与时偕行（请参看高亨《周易大传今注》）。那么，初九是什么时候？夏历的十一月、十二月。此时，阴盛阳衰，"阳气潜藏"（《乾·文言》），龙也只好歇着，睡大觉。

这就叫"潜龙勿用"。

接下来,是九二。九二的爻辞,是"见龙在田,利见大人"。为什么呢?原来别卦六爻,最下面两个代表地,叫"地道"。最上面两个代表天,叫"天道"。当中两个代表人,叫"人道"。天、地、人,叫"三才之道"。九二处于地道上位,龙就到地面上来了,所以叫"见龙在田"。见,读如现,显现的意思。龙出现在田里,当然"利见大人"。何况这时,是夏历的一月、二月。春光灿烂,大地锦绣,《乾·文言》称作"天下文明",当然大大的好。

九三,龙到了人道的下位,所以爻辞是"君子终日乾乾,夕惕若,厉无咎"。乾乾,就是勤奋而强健。惕,就是警惕。白天勤奋而强健,夕阳下山了,还很警惕,那就没有问题了(无咎)。这个时候,是夏历的三月、四月,也是农作物的发育期,必须小心伺候。所以爻辞说要朝乾夕惕,《乾·文言》说要"与时偕行"。

九四呢?九四的爻辞是"或跃在渊,无咎"。九四在人道上位,象征着龙到了深渊之上,天穹之下,进退自如,也很好。这时,是夏历的五月、六月,是农作物的成长期,也是酷暑之时,《乾·文言》的解释是"乾道乃革"。革,就是变。怎么变?变成最好和最不好。

最好的是九五。此时,是夏历的七月、八月,正是收获季节。爻位九五,也已经进入了天道,就像龙飞到天上去了。龙在天上飞翔,草木在地上丰收,当然非常之好。所以九五的爻辞,是"飞龙在天,利见大人"。《乾·文言》的解释,则是"乃位乎天德",也就是阳气的最佳状态,天德的成功之时。

最后是上九。怎么样呢?爻辞说"亢龙有悔"。为什么?过头了。九五的时候,你已经飞到天上去了,还往哪儿飞啊?这就是"亢"。亢,就是极致、极端、顶点、最高处。再飞,可就要后悔了。这个时候,是夏历的九月、十月。所以《乾·文言》的解释,是"与时偕极",也就是和时节一起,达到阳气的鼎盛时期。盛极必衰。接下来,就要进入寒冷的冬天。或者说,要反身进入坤卦,从头开始。

这就是"龙"从初九到上九的发展变化过程。这个过程,跟前面说的情况完全一样。

现在我们再看一看这六句爻辞。初九是"潜龙勿用",上九是"亢龙有悔",都不怎么好。九二、九五,都是"利见大人",大大的吉利,大大的好。九三、九四呢?是"无咎",也没问题。这样看下来,大家发现规律了没有?规律就是两头的不好,当中的好。初九、上九是两头,九二、九三、九四、九五是当中。当中四爻,又数九五、九二最好。为什么?因为它们是当中的当中。别卦是经卦(八卦)相重。九五和九二,刚好在两个经卦当中啊!

在这里,《易经》表达了一种什么思想呢?两个字:**执中**。前面说过,《周易》认为,世界永远在变化,事物永远在发展。那么,发展变化到什么程度最好?**时间、地点、方式,都恰到好处,就是发展变化的最佳状态**。这个"恰到好处",其实就是"**中庸**"。中庸,就是"无过无不及"嘛!初九不够水平,是"不及";上九做过头了,是"过"。过犹不及,所以都不好。怎样才好?当中才好。而且,越是当中,越好。

所以,**中庸,就是《周易》的原则**。也因此,别卦六爻,最重要的就是二和五。用《易传·系辞下》的话说,就是"非其中爻不备"。其实,就连打麻将,二和五也很重要。"二五八将"呀!为什么还有八?麻将条、饼、万,都是九张牌。分成三组,等于三个"经卦"(八卦)。每组当中的,就是二、五、八嘛!由此可见,中庸之道,真是无处不在啊!

事实上,中庸之道,也是中国文化一种独特的智慧。那么,请问什么是中庸呢?中庸之道又是什么道理呢?中庸之道是不是不讲原则呢?如果中庸之道是讲原则的,那它的原则又是什么呢?这是我将在下一次讲座告诉大家的。

中庸的原则

一　中庸不是什么

上次我们讲了《周易》，今天我们讲"中庸"。

中庸这个思想，以前是受批判的。尤其是文化大革命当中，中庸的名声很不好。为什么不好呢？因为当时提倡"斗争的哲学"。讲斗争，是谁的哲学？法家。法家是主张矛盾、主张斗争的。矛盾这个词的"著作权"，就属于韩非嘛！而且法家主张的斗争，还是你死我活势不两立的，叫做"不是东风压倒西风，便是西风压倒东风"。这个话，虽然是《红楼梦》里面的；但这种思想，来源于法家。年纪大点的朋友都知道，"文革"后期有个运动，叫"评法批儒"。所谓"评法"，其实就是赞成法家。不过，法家毕竟不是马列主义毛泽东思想，不能"赞"，只能"评"，所以叫"评法"。批儒，就是批判儒家。法家既然讲"斗争的哲学"，则儒家的中庸之道，就被定义为"调和的哲学"。也就是说，为了跟法家树一个对立面，儒家的中庸就背了黑锅。什么骑墙啊，和稀泥啊，好好先生啊，没有原则啊，各打五十大板啊，等等。这就是当时理解的中庸之道，也是很多人理解的中庸之道。所以我们今天讲中庸，不能一开始就讲它是什么，我们先得讲它不是什么。

中庸不是什么呢？

第一，**中庸不是老好人。**

老好人在孔子那里叫"乡原"，也写成"乡愿"。即便是"乡原"，这个"原"也要读作愿。什么叫做乡原？在《尽心下》，孟子有个定义——

非之无举也,刺之无刺也;同乎流俗,合乎污世;居之似忠信,行之似廉洁;众皆悦之,自以为是,而不可与入尧舜之道。

什么意思呢?第一,挑不出毛病。所谓"非之无举也,刺之无刺也",就是你要反对他吧,他没什么可反对的;你要批评他吧,他没什么可批评的。第二呢,看起来很好,又忠诚,又诚信,又廉洁(居之似忠信,行之似廉洁)。所以,第三,大家都喜欢他(众皆悦之)。第四,他自己也很得意(自以为是)。但是,他在本质上,是同流合污(同乎流俗,合乎污世),不合正道(不可与入尧舜之道)的。这样的人,就叫做老好人,就叫做乡原。

对于这样的人,孔子怎么说呢?《论语·阳货》说——

乡原,德之贼也。

什么叫贼?现在的理解,是小偷。做贼嘛,偷东西。但古文不是这个意思。贼,在古汉语里面是人身伤害。偷东西叫什么呢?叫盗。盗是财产侵犯,贼是人身伤害,寇是外敌入侵,匪是犯上作乱。比如日本鬼子,就叫日寇;德国鬼子,叫德寇。这些都是外敌入侵。国民党和共产党打仗,就不这么叫。双方都管对方叫匪,没有叫寇的,也不叫贼,也不叫盗。孔子说"乡原,德之贼也",就等于说老好人对道德进行人身伤害,会要了道德的命。

孔子对老好人,为什么如此深恶痛绝呢?孟子说,是因为孔子痛恨那些似是而非的东西(恶似而非者)。在孔子的眼里,老好人就好比稻田里的稗草。它长得和稻子很相似,但它不是稻子。田里面稗子如果多了,稻子就长不好。这就好比癌细胞。癌细胞也是细胞。它为什么不好?因为它"吃饭不干活"。癌细胞跟正常细胞一样,也要吸收我们人体的营养,却又不承担细胞的功能,生长速度还特快。结果它占了一个地儿,正常细胞就不能生长不能工作了。全身都长满不干活的癌细胞呢?人就死了嘛!如果全社会都是老好人呢?这个社会就死了。所以老好人就是"德之贼",中庸也不可能是老好人。

第二,**中庸不是和稀泥。**

据《论语·颜渊》的记载,有一次,鲁国的执政者季康子,向孔子讨教"黑社会问题",说我们这个地方盗贼猖獗,该怎么办?孔子说什么呢?孔子说——

> 苟子之不欲,虽赏之不窃。

什么意思?就是说,如果你们这些当权派自己不贪心,就是奖励盗窃,也没人去偷去抢。言下之意,民间盗窃盛行,是因为官方贪得无厌。这个话,就说得很重、很直,而且明摆着会得罪人,哪有一点和稀泥的意思?

实际上,孔子这个人,是实事求是、直言不讳的。据《论语·为政》记载,有一次,孔子对他的学生子路说:

> 由!诲女(汝)知之乎?知之为知之,不知为不知,是知也。

由,就是仲由,也就是子路。知,有两个读音,既读知识的知,也读智慧的智。孔子说,阿由啊,让我来告诉你,什么叫做知识?什么叫做智慧?知道就是知道,不知道就是不知道,这就是智慧,这就是知识。所以,他是个实事求是的人,他不会主张和稀泥。

第三,**中庸不是没原则。**

孔子这个人,其实是很讲原则的。《论语·为政》记载了他这样一句名言——

> 君子周而不比，小人比而不周。

这里的这个比，古时念成避（bì）。比和周，是相反的。周是什么呢？周是团结。比是什么呢？比是勾结。比方说，吃吃喝喝，拉拉扯扯，狐朋狗党，酒肉朋友。周呢？和衷共济，精诚团结。我们都知道一句名言——团结是要有原则的。无原则地在一起，那就是勾结，就是比。所以，君子之交淡如水，小人之交甜如蜜。小人勾结在一起是毫无原则的。因此，作为"君子之交"，中庸就不可能是没原则。

实际上，在儒家这里，**中庸不但是讲原则，而且中庸本身就是原则，是最高的原则**。《论语·雍也》记载孔子的话说——

> 中庸之为德也，其至矣乎！民鲜久矣。

这话什么意思？就是说，中庸作为一种道德，难道不是最高的原则吗？可惜已经很久不见了。那又怎么办？当然是应该坚持这种原则，回到这种原则。

由此我们可以得出结论来：中庸不是老好人，中庸不是和稀泥，中庸不是无原则。

那么，中庸究竟是什么呢？

二　什么是"中"

关于中庸的解释，历史上有很多很多。我们去读《论语》，读《礼记》的《中庸》，都可以读到很多的注解，学术界也把它讲得很复杂。我却觉得，中庸其实很简单，简单得可以总结为这样两句话：**中就是不走极端，庸就是不唱高调**。

我们先讲"中"。

还是举一个反面典型。孟子讲,人当中有一种,叫做圣人。他们是"人伦之至"(《孟子·离娄上》),也就是道德品质最优秀、最高尚的人,比如伯夷,比如伊尹,比如柳下惠,比如孔夫子。这四个,是圣人的代表,也是四个典型。伯夷叫"圣之清者",就是圣人当中最清高的。伊尹叫"圣之任者",就是圣人当中最负责任的。柳下惠叫"圣之和者",就是圣人当中最随和的。孔子呢?叫"圣之时者",时间的时,时尚的时,时髦的时。什么意思?鲁迅先生说,大概只能翻译为"摩登圣人"。而且鲁迅先生还说,除了这个,也没有别的办法可以翻译。我想,搁在今天,大约也可以翻译为"文化超男"。

当然,这不是孟子的原意。孟子的原意,所谓"圣之时者",就是圣人当中最识时务的。这四个圣人的代表呢,孟子认为,有两个是不可以学习的,有两个是应该学习的。哪两个是不可以学习的呢?一个是伯夷,一个是柳下惠。

伯夷的故事,大家都知道一点。兄弟两个,哥哥叫伯夷,弟弟叫叔齐,两个都是殷商王朝大大的忠臣。周武王伐纣的时候,伯夷、叔齐去反对,说殷是君,周是臣,以臣弑君,你这是犯上作乱,不可以的!周武王没听他的,去把殷纣王灭了。于是伯夷、叔齐,就跑到首阳山上住着,说是饿死也不吃你们周朝的米。结果有一天,来了一个人,跟他俩讨论这个问题。这人说,普天之下,莫非王土。这宴会厅的小米,固然是周天子的;首阳山上的野菜,难道就不是?这哥儿俩一想,也是,这野菜也吃不得啊!结果就饿死了。

其实,在《公孙丑上》和《万章下》,孟子对伯夷的清高都有描述。大体上说,此人的特点和原则,是不好不道德的东西不看,叫做"目不识恶色"。不好不道德的言论不听,叫做"耳不听恶声"。不是合格的君主他不侍奉,叫做"非其君不事"。不是合格的民众他不领导,叫做"非其民不使"。如果政府里面有坏人,他不去做官,羞与同列，叫做"不立于恶人之朝"。也不跟坏人说话，叫做"不与恶人言"。如果某个人，他认为是个坏人，或者道德品质不好，或者有污点，不干净，哪怕是他的老乡，也躲得远远的，避之唯恐不及，就像躲麻风病人。所以，伯夷是圣人当中最清高的。

柳下惠呢？相反。哪怕那君主是个昏君、暴君，他也去做官，不以被这样的混蛋领导为耻辱，叫做"不羞污君"。给他的官位再小，也去做，叫做"不卑小官"。和乡亲们在一起，哪怕这些人都是道德品质低下的，都是有道德污点的，他也不离开，他跟你笑眯眯的(与乡人处，由由然不忍去也)。在柳下惠看来，他是他，我是我。他有毛病，不等于我也有啊！难道他的恶劣的品质，会像麻风病、梅毒一样传染到我吗？不会的。那我干吗不跟他们在一起？我跟谁都可以在一起，好人坏人我都来往。没关系嘛！

孟子说，这两个，影响大呀！什么影响呢？和伯夷在一起，贪婪的人会变得廉洁，懦弱的人会变得勇敢，叫做"顽夫廉，懦夫有立志"。为什么呢？因为伯夷实在太高尚，太清高了。他是宁肯饿死，都不吃嗟来之食的。在这样一个人面前，你还会起贪婪之心吗？在这样一个死都不怕的人面前，你还会胆小怕事吗？不会。柳下惠呢，则能使狭隘的人变得宽容，刻薄的人变得敦厚，叫做"鄙夫宽，薄夫敦"。因为他什么人都能包容啊！品位再低下，品质再恶劣，他都跟你笑，都跟你来往。在这样的人面前，你都不好意思狭隘了，你都不好意思刻薄了吧？所以，这两个，都是圣人，都能起道德表率作用。

然而，孟子还是说"君子不由也"(《孟子·公孙丑上》)。什么意思呢？君子不向他们学习。为什么？走极端。孟子说，伯夷的问题，是太清高了。柳下惠呢？又太随和。他们的清高和随和，都过了头。由此可见，中庸就是不走极端。

那么，怎样才叫不走极端呢？

所谓不走极端，其实包括两个方面：**既不缺位，也不越位；既不过**

头,也不掉队。据《论语·先进》,有一次子贡问孔子,说"师与商也孰贤"。师,就是孔子的学生颛孙师,字子张;商,就是孔子的学生卜商,字子夏。子贡的意思,是问子张和子夏这两个学生,老师觉得哪个更优秀一点?孔子回答说"师也过,商也不及",意思是子张这个人走过头,子夏这个人跟不上。于是子贡就问孔子,那么是不是阿师(子张)比阿商(子夏)强一点呢?孔子显然并不这么认为,他说了非常重要的四个字——

过犹不及。

什么意思呢?**走过头等于跟不上**。为什么?不"中"。比如我们从广州到武汉,你走到长沙就不走了,这叫做"不及"。一口气跑郑州去了,这叫"过"。结果一样,都没到你要去的地方,所以说"过犹不及"。

显然,**中庸就是无过无不及,就是恰到好处**。《论语·雍也》记载孔子的话说——

质胜文则野,文胜质则史。文质彬彬,然后君子。

什么叫质,什么叫文?质,本意是原材料,质材嘛!转过来引申为什么呢?质朴、质直,本来面目。文呢?装饰、精加工。转意是什么呢?华丽、文雅、修饰。那么,孔子这段话,什么意思呢?就是说,一个人应该质朴,同时又应该有修养。如果过于质朴,一点修养都没有,或者质朴过了头,就会粗鄙、粗俗、粗鲁。这就叫"质胜文则野"。相反,如果太讲究修饰,一举一动都中规中矩,每句话都挑不出毛病来,这样的人就虚伪。因为他永远在说正确的话,连标点符号都不会错,这得用多深的心计啊!这样的人,我是不敢交朋友的,因为我永远不知道他心里想什么。这就叫"文胜质则史"。

孔子认为,这两种,都不对。正确的,是"文质彬彬"。什么叫"彬彬"呢?根据东汉学者包咸的注释,彬彬就是"相半之貌"。也就是文一半,质一半,既质朴,又有修养和文采。而且,文雅的程度和质朴的程度,是刚好相等的。这样的人,才是君子。

由此可见,一个人,太狭隘了不好,太随便了也不好;做不到不好,做过头也不好;太质朴不好,太修饰也不好。怎样才好?**不偏不倚,恰如其分,最好**。这就叫做"中"。

三 什么是"庸"

下面说"庸"。

什么是"庸"呢?我刚才说是不唱高调。为什么呢?因为庸这个字,有"常"的意思,平常的常。所以,庸就是庸常,也叫平庸。平庸是什么呢?普普通通。另外,庸,还有一层意思,就是"用"。一个庸常,一个使用,这两个意思加起来,就是"**常用**"。也就是说,**经常用得到的这个普普通通的"道",就是中庸之道**。

既然是"常用",那就不能唱高调。孔子不唱高调吗?不唱。《论语·宪问》说,有一次,有人问孔子:"以德报怨,何如?"就是说,别人对我很坏,我却用好心和恩德去回报,您老人家觉得怎么样?如果是现在,可能很多人会说,好啊!以德报怨,这多高尚啊!孔子却不以为然。孔子反问:"何以报德?"就是你拿恩德去回报了仇怨,请问又拿什么去回报恩德?你的恩德不是回报仇怨去了吗?或许有人会说,也可以"以德报德"嘛!那好,那我问你,恩德用恩德回报,仇怨也用恩德回报,对于恩德来说,公平吗?

所以,以德报怨,其实是可以讨论的。那应该怎么样呢?孔子说了八个字——

以直报怨，以德报德。

这后面四个字好理解，就是用恩德回报恩德。所谓"滴水之恩，当涌泉相报"，这个肯定是对的。问题是什么叫"以直报怨"？这个话的解释，学术界争论得一塌糊涂，各种观点都有。我最赞成康有为的解释。康有为怎么说呢？他的《论语注》说——

孔子非不能为高言也，藉有高深，亦不过一二人能行之，而非人能共行，亦必不能为大道，孔子即不言之矣。

什么意思？就是这个"以德报怨"啊，确实是道德高标，确实是很高的道德境界。孔夫子他老人家，难道就不能提出这样一个高标准吗？能啊！那他为什么不说呢？因为孔子意识到，这不是大多数人能做到的。就算有人做得到，那也就是三两个人而已。既然如此，就不能作为一个标准提出来。道，或者说，伦理道德，它在哪里？就在我们当中，是我们每个人都能实行的。道不远人嘛！如果只有少数人能实行，这种道德就肯定行不通。行不通，又要提倡，结果是什么呢？只能造就伪君子。

所以，道德不能唱高调。不唱高调又怎么办？实事求是，科学分析。现在我们看，恩德和仇怨，无非是四种关系，对不对？以德报德，没有问题，所有人都会赞成，不必讨论。以怨报德，肯定不行。这是小人行径，甚至简直就是坏人，也不必讨论。以德报怨呢？刚才讨论过了，大多数人做不到。剩下可以讨论的，就只有"以怨报怨"了。可惜这个，也不能提倡。以怨报怨，今天你给我一耳光，明天我给你一拳头，后天你再给我一脚，大后天我再给你一刀，这怨怨相报何时了？所以学术界有些人说，孔子的以直报怨就是以怨报怨，我就不赞成。我认为孔子不会提倡这个。

以德报德理所应当，以怨报德必须否定，以德报怨要求太高，以怨报怨不宜提倡，这就是我们分析下来的结果。结论是什么呢？报德好说，报怨难办。以德报怨，以怨报怨，两个选项，都不合适。怎么办呢？

这就必须有第三种方案，一个既合乎正道，又能为普通人实行的方案。于是孔子提出，既不报之以怨，又不报之以德，而是报之以直。

问题是，什么叫"以直报怨"？

我认为，用最土的话来翻译，就是三个字——**看着办**。如果再展开来解释，就是**该怎么着就怎么着**。

为什么这样说呢？其实我是参照了孟子对圣人的那个讨论。孟子说，圣人的四个代表，有两个是不可学习的，有两个是应该学习的。不可以学习的，是伯夷和柳下惠，因为他们都走极端。值得学习的是谁呢？一个伊尹，一个孔子。伊尹是怎么样的呢？前面讲过，伯夷是"非其君不事，非其民不使"。伊尹的说法，却是"何事非君，何使非民"。也就是说，什么样的君主不是君主？什么样的人民不是人民？换成现在的话说，什么样的领导不是领导？什么样的下级不是下级？关键不在于人家是什么人，在于你是什么人嘛！你是一个负责任的人，什么样的领导下面都能工作，什么样的下级也都能领导。这是伊尹的观点。孟子认为这是对的，就该这么做。

孔子呢？孟子给出的说法，是"可以速而速，可以久而久，可以处而处，可以仕而仕"。什么意思？就是可以马上走就马上走，可以继续干就继续干，可以隐居就隐居，可以做官就做官，没有什么一定之规，一切都看可不可以。这，不就是"看着办"，就是"该怎么着就怎么着"吗？

说到这里，可能有人会不以为然。对了，我已经看见有听众在摇头了。你的意思我明白。你是不是想说，这个"以直报怨"，难道就是随心所欲，想怎么着就怎么着，没原则啊？当然不是。前面说过，

明 无款 三教图

不片面就是"中"，不单一就是"和"。中，就是不偏不倚；和，就是多样统一。

——易中天语

孔子是讲原则的,而且中庸本身,就是最高原则,怎么会没有原则呢?如果没原则,孔子就不会说"以直报怨"了。直,就是原则嘛!

其实,这里的关键,是"可以"二字。所谓"可以",也包括两个内容,一是**应该**,二是**能够**。就是说,如果我们觉得,这是我应该做的,同时也是我能够做的,我就去做。这就叫"直"。具体到本案,就是我觉得应该怎么回报,也能够怎么回报,我就这么回报。这种回报,可能是以德报怨,也可能是以怨报怨,还可能是不报。不报当然也是报,但不属于"以德报",也不属于"以怨报"。至于是哪一种,全看应不应该、能不能够。这就是"看着办"。显然,它是"**该**怎么着就怎么着",并非"**想**怎么着就怎么着"。这就叫"*以直报怨*"。

我觉得,孔子的这个说法,很实在,也很高明,还很正确。为什么实在?因为不唱高调,谁都做得到。为什么高明?因为有多种选择,并不拘泥于德或怨。为什么正确?因为既解决了问题,又坚持了原则。孔子的"中庸之道",是不是很有道理?

四　关于"中庸"的三个结论

根据前面的讨论,我们可以得出三个结论来。

第一,中庸一定是常人之道。

什么叫"常人之道"? 就是普通人也能做到的,不是什么神秘的东西。儒家的伦理道德学说有一个特点,就是强调任何人,所有人,最普通的人,再没有文化的人,都能做到。所以,他们绝不唱高调,绝不提一个高不可攀的目标出来。比如《礼记》里面讲,一个孝子,应该做到"出必告,反(返)必面"。什么意思呢? 就是出门的时候,你一定要告诉父母亲;回家以后,也一定要跟父母亲见个面。做不做得到? 做得到吧! 太容易、太好做了! 但儒家认为,这是做人的本分,也是很高的道德。为什么呢? 因为你有将心比心、推己及人的心理能力,能够处处替别人着想。比方说,你能够想到,不打招呼就跑掉了，然后半天不回来，父母亲要担心啊！为了不让父母亲担心，出门之前一定要打个招呼，回家以后一定打个照面。这就是孝心，也就是孝行啊！这种孝行，是人人都能做到的。

所以儒家讲的东西，一定是非常非常普通的，以至于很多人认为，孔子他们也没什么了不起。你说他有多了不起的学说？没有。说来说去，也就诸如此类，打个招呼啦，打个照面啦，等等。这也要说？但是真的要说，我看现在很多孩子都做不到呢，你信不信？

中庸也是这样。一个"不走极端"，一个"不唱高调"，有多难呢？实在不难。但是真要做到，又很不容易。不信你去看中国人，尤其是中国的读书人，又尤其是读书人当中的"愤青"，又尤其是"愤青"当中的"爱国愤青"，有几个是不唱高调、不走极端的？没有几个。为什么？为了把自己跟那些"平庸"的、"庸常"的，甚至"庸俗"的大众区别开来。也就是说，他们绝不能"庸"。这就要唱高调。是啊！不唱高调，怎么表现"爱国主义"呢？不唱高调，怎么表现"理想主义"呢？不唱高调，又怎么表现"道德情操"和"高风亮节"呢？所以，他们是一定要设立道德高标，并且拿这种"高标"去要求别人、批判别人、谴责别人的。至于这些要求是否合理，是否可行，他们可不管。

唱高调的结果必然是走极端。为什么？因为**高调就是极端**，否则就叫"中调"了。走极端是谁的思想方法？法家的。前面说过，矛盾一词，就是韩非发明的嘛！韩非还有一句话，叫做"冰炭不同器而久，寒暑不兼时而至"（《韩非子·显学》）。也就是说，冰，和燃烧着的炭，能够在同一个器皿中长期共存吗？不能。不是冰熄灭了炭，就是炭融化了冰，要不然就是冰也化了，炭也熄了，同归于尽。同样，严寒和酷暑，也不可能在同一时刻到来。所以，你只能走极端：要么冰，要么炭，要么严寒，要么酷暑。

但是，法家走极端，却并不唱高调。先秦诸子儒墨道法，前三家都是理想主义者，唯独法家是现实主义者。法家，怎么会唱高调？其实，就连先秦时期的儒、墨、道三家，也不唱高调。他们主张的那些东西，克己复礼也好，平等互利也好，无为而治也好，也不是多难的事。之所以不能实现，不是调门太高，是不合时宜。

那么，后来的人，怎么就既唱高调，又走极端呢？我认为与汉武帝和董仲舒有关。他俩干了一件什么事？罢黜百家，独尊儒术。要独尊，就得拔高。高高在上，才能唯我独尊嘛！这下子，调门可不就高了？但是，汉武帝的子子孙孙，还有后来的那些统治者，心里跟明镜似的。他们很清楚儒家那一套，其实不能治国，只能用来忽悠，忽悠老百姓不造反。真正管用的，还是法家的"两面三刀"，也就是赏和罚，以及权势、权术、刑法，即"势、术、法"。这一点，我在《先秦诸子百家争鸣》和《我山之石》两书中都有细说。诸位如果有兴趣，请参看。总之，武帝以后，历朝历代统治者的办法，是明儒暗法、外儒内法、阳儒阴法。儒家是公开的执政党，法家是暗中的执政党。法家走极端的思想方法，当然能够流行。

更何况，唱高调和走极端，原本就相得益彰。唱高调一定走极端，走极端也一定唱高调。为什么？因为走极端，是需要道义支持的。你得说，我这样做，是为了某种崇高的理想，或者某个崇高的目标。这样，你走起来，才理直气壮，才大义凛然，才所向无敌。

这倒也是顺理成章的事。然而结果是什么呢？是孔子被神圣化，中庸被妖魔化。也就是说，当孔子被哄抬到"唯一圣人"的吓人高度时，他最钟爱的"中庸之道"却完全变了味儿，变成了和稀泥、没原则、风吹两边倒、各打五十大板等等。这也不奇怪。既唱高调又走极端的人，是不可能真正理解"中庸"的；而那些被种种高调逼得走投无路的人，也就只好装样子、耍滑头。结果，中庸变成了乡愿。

这样一说就清楚了。要恢复中庸的本来意义，就得把孔子从神坛上拉下来。**孔子"去神圣化"，中庸才能"去妖魔化"**。孔子恢复为"常人"，中庸才能恢复为"常道"，即**"常人之道"**。常人之道的特点是什么？**不唱高调**。这是第一点。

第二，**中庸一定是适中之道**。

这一点，似乎不用多讲。因为中庸不仅是"庸"（不唱高调），更是"中"（不走极端）。这就肯定要"适中"。比方说，既不唱高调，也不趋下流，既反对只有追求，又反对没有底线。如果你只有追求，不考虑现实，不断提一些很高的道德标准要求，这就是走极端。如果你放任自流，连底线都没有了，也是走极端，都不是中庸。

不过，中庸讲适中，还因为它是"常人之道"。常人是什么人？是大多数，也是中间派。圣人，像尧舜那样的，或者像基督、像佛祖那样的，是极少数。恶魔、恶棍、十恶不赦的家伙，也是极少数。大多数是常人，是普通人。他们不像圣人那么好，也不像恶棍那么坏，所以是"中间派"。为他们定标准，可不就得"适中"？

由此可见，适中，不但是"中"，而且是"适"。适，可能比"中"还重要。或者说，中，其实是为了"适"。实际上，**世界上没有最好，只有最合适**。比方说找老婆、找老公，你说我要找个世界上最好的，那对不起，这是不可能的，也是不对的。为什么？因为"最好"只有一个。否则，怎么叫"最"呢？那么好了，世界上只有一个女人是最好的，难道大家都去爱她？世界上也只有一个男人最好，难道大家都去找他？那哪成啊！实际上，对你最合适的，就是最好的。这就是中庸，**中庸就是最合适**。怎样最合适？**不走极端**。这是第二点。

第三，**中庸一定是可行之道**。

这一点，应该也不成问题。你想嘛，孔子，他为什么要主张一种"常人之道"？他为什么不弄点儿"惊世骇俗"的东西来？就是为了"可行"啊！正所谓"非不能为高言也"，只因为"非人能共行"，这才"不言之矣"。反过来，他讲中庸，包括讲"以直报怨"，就因为它既平常，又适中，可操作。实际上，孔子，还有孟子、荀子，都是很注重"可行性"的。他们提出的社会改革方案，无论怎样具有理想主义的色彩，都会有"可操作性"。至少，看起来有。也就是说，先秦儒家孔、孟、荀，其实是处于理想主义和现实主义之间的。这也是中庸。不在理想与现实之间走极端，是中；注重"可行性"，是庸。"庸者用也"嘛！

不唱高调，不走极端，切实可行。现在，中庸是怎么回事，大体上就讲清楚了。接下来要讨论的，是与中庸有关的两个概念。这两个概念，一个是权宜，一个是和谐。

五　中庸与权宜

权宜，包括权和宜。我们先说"宜"。

什么是"宜"？宜，就是前面说的那个"可"。**可，是中庸的原则。它是应该，也是能够**。伊尹就是"应该"的榜样，孔子就是"能够"的榜样。当然，应该与能够，并不矛盾。而且，"应该"还是前提条件，即首先是"应该"，然后是"能够"。所以，孔子也是讲"应该"的。还是子贡，曾经问孔子，说如果乡亲们都喜欢我，老师你看怎么样？孔子说"未可也"，也就是还不怎么样。子贡又说，那如果大家都不喜欢我，怎么样呢？孔子说，那就更不怎么样了。那么，要怎么样，才算怎么样呢？孔子的说法，是"不如乡人之善者好之，其不善者恶之"（《论语·子路》）。也就是说，好人都喜欢你，坏人都不喜欢你，这才对。

这就是"可"，也就是"适"。可见，**合适不但是合人，也不但是合己，更重要的是合道**。什么"道"？**正道**。这是中庸"原则的原则"。也就是说，**中庸的第一原则，是"正"**。其实，在儒家这里，**中，就是正**。为什么是正？因为不正，就偏。偏，就不会在中间。《中庸》里面有一句话，叫做"极高明而道中庸"。这里说的"极"，就是房屋的正梁，也就是上梁。这根梁，一定得是正的。否则，上梁不正下梁歪，那房子会塌。同样，这根梁，也一定是在当中的。放在当中，才

"正"。上梁正正地放在当中,整栋房子就稳稳当当了。这就叫"极高明而道中庸"——上梁的"正当"决定了全体的"中庸"。中庸,就稳当。

正是中,也是直。正直嘛!所以,以直报怨,也可以解释为"以正报怨"。正是直,也是义。正义嘛!所以,以直报怨,也可以解释为"以义报怨"。那么,义又是什么呢?是"宜"。义者,宜也。义,就是"应该",也就是"宜"。所以,以直报怨,又可以理解成"以宜报怨",也就是"该怎么着就怎么着"。

这就是"宜",也就是合适、应该、适当、对头。中庸讲"适中",讲"正道",当然要讲"宜"。问题是,什么宜,什么不宜?怎样宜,怎样不宜?要知道,世界千变万化,事情是纷繁复杂的。今天宜,明天不一定宜;此处宜,彼处不一定宜。这就要看情况。或者说,既要有原则,又要看情况。于是就又有了一个概念,这就是"权"。

什么是"权"?权,是儒家一种重要的思想方法。儒家的思想方法有一个基本的东西,叫做**"有经有权"**。经是什么呢?经就是织布机上的纵线。古人织布,是先有几根纵线固定在那里,然后用梭子牵着横线来回织。这个纵线就叫做"经",横线就叫做"纬"。纬是动的,经是不动的。所以,经,又引申为"不变"。永恒不变的就叫做经,比如"经典"。最常规的也叫经,比如"经常"。这些概念,都是从这儿来的。

经是不变。权呢?变。权是什么?是秤砣。一杆秤,仨配件——秤杆、秤盘、秤砣。秤杆叫什么?衡。秤杆永远得是平的,叫"平衡"。秤砣呢?叫权。秤砣有一定重量,叫"权重"。有权有衡,就可以称重量,叫"权衡"。怎样权衡?看秤盘里面的重量。秤盘这边重了,秤砣就要往外挪;秤盘里面轻了,秤砣就要往里挪。所以,秤砣是移来移去的。

这就是经与权。**经就是不变的,权就是要变的。**有经有权,就是有的变,有的不变。什么不变? 原则不变。什么变? 方法可变。原则之所以是原则,就因为不能变。一变,就不是原则了。但,原则是抽象的,事情是具体的。具体问题,必须具体分析。因此,处理问题的具体方式,具体方法,就可以变,也必须变。这就是"权",也叫"**权变**"。

权,在孔子那里是很高的境界。孔子有三个最高境界。**做人的最高境界是"仁",治学的最高境界是"乐",做事的最高境界是"权"**。《论语·子罕》记载孔子的话说——

> 可与共学,未可与适道;可与适道,未可与立;可与立,未可与权。

孔子这段话,有三层意思,包括四个关键词,四个层次,四个阶段。

第一层意思,就是说,我们跟一些人啊,可以一起学习,这叫"同学"。同学是最容易的。跟着同一个老师,或者上同一所学校,就是同学了嘛! 但是,我们这些同学,将来却未必会走同一条道路。毕业以后,很可能就各奔东西,分道扬镳,各走各的路了,对不对? 毕竟,人生的道路,是要自己去走的。更何况,学习的目的,也未必都相同。有些人是为了追求真理,有些人是为了功名利禄,还有些人则不过是为了将来混口饭吃。这样,不但一起学习,而且还一起追求真理的,恐怕就不多了。这就叫"可与共学,未可与适道"。适,就是去、往、向、追求。道,当然是孔子主张的"道",也就是"正道"。这是第一层意思。

第二层意思,就是说,我们可能会走同一条道路,一起追求真理,但未必能够一起走到底,也可能有人中途退出,或者改变主意,或者无法坚持。这就叫"可与适道,未可与立"。立,本义是站立,引申为

"站得住"。怎样才"站得住"呢？一是有成就，二是讲原则，三是能坚持。所以，杨伯峻、李泽厚和钱穆先生，就把"未可与立"的"立"，分别翻译为"取得成就"、"坚持原则"和"强立不变"（请分别参看杨伯峻《论语译注》、李泽厚《论语今读》、钱穆《论语新解》）。我比较倾向于钱穆先生的说法，因此翻译为"坚持到底"。

第三层意思，就是说，即便能够一起坚持到底，却未必能够一样善于权变。或者说，即便能够一起坚持原则，却未必能够同样灵活运用。这就叫"可与立，未可与权"。可以一起学习，未必同样追求；可以同样追求，未必共同坚持；可以共同坚持，未必一样权变。这就是孔子这段话的三层意思。

这三层意思，包括了四个关键词——学、适、立、权。它们同时也代表着四个层次。这四个层次，我概括为"同学、同道、同立、同权"。李零先生的《丧家狗》一书，则概括为"学道、适道、守道、用道"，也就是学习真理、追求真理、坚持真理、运用真理。这就是"四个阶段"了。我们两个，李零先生和我，角度不同，意思一样。

这四个层次，或者四个阶段，一个比一个高，一个比一个难。最容易的，是在第一阶段，学道。一起学习真理，同学，并不困难。第二阶段，适道。同样追求真理，同道，就有点困难了。第三阶段，守道。共同坚持真理，同立，这个又要难一些。最难是在第四阶段，用道，也就是运用真理，同权。这就是孔子这段话的四个层次。

这事有点奇怪。我们知道，真理都是要运用的。运用，为什么是最难的呢？原来，难，并不难在运用，而在于"灵活运用"，也就是"权"。这也还不算最难。最难的，是"同样灵活运用"，即"同权"。如果能够"权"，就达到了做事的最高境界。如果能够"同权"，那就是人际关系的最高境界了。

这样一说，就有了问题。权和同权，为什么就最难呢？因为"权"虽然是变，或者说，是随机应变，却又不是没有原则。毕竟，权与宜,是统一的。而且,权变,正是为了"适宜"。适宜什么? 正道。或者说,既要适宜于具体情况,比如因地制宜、因时制宜、因事制宜、因人制宜,但更重要的,还是要"宜于道"。所以,权,其实是"有经有权",也就是"既有原则性,又有灵活性"。这个话,我们虽然经常说,却其实很难。为什么? 因为无原则并不难。我不要原则,还不容易吗? 坚持原则,也不很难。咬住牙,也就扛下来了。但是,既坚持原则,又很灵活,就太难了! 我啥时候有原则,啥时候灵活嘛! 更何况,我们中国人,一讲灵活性,很容易就变成油滑,变成世故,变成没有原则。一讲原则性呢? 又很容易变成公事公办,毫不通融。总之,原则性不强就会变成圆滑,灵活性不够就变成刻板。所以儒家认为,有经有权,需要很高的修养。可见,权,并不容易。如果还要"同权",也就是大家都一样地既坚持原则又灵活运用,那就肯定比"共同坚持原则"更难。

说到这里,或许有人会问:既然如此,咱不要这个"权",行不行呢? 恐怕不行。为什么? 因为**有经有权,才是中庸**。只有经,或者只有权,就是"走极端"。所以,"既有原则性,又有灵活性"这句话,还是要实践的。只不过我们做起来,得要有足够的智慧而已。

六 权宜之法

说到"权宜之法",我想起一个故事。大家知道,1997 年香港回归之前,我国政府和末代港督彭定康之间,是不怎么愉快的。但是有一次,在一个国际会议上,我们的周南大使和彭定康狭路相逢,面对面地碰到一起了。这可真是冤家路窄,而且彭定康还把手伸了过来。这是个麻烦事啊! 人家伸了手,你握不握呢? 不握是不行的。在这种外交场合,不握就是不礼貌。想当年,周总理向美国国务卿杜勒斯伸出手去,杜勒斯没有握,就成了世界外交史上的一个事件。握,也是不行的。因为在这个时候,不能跟他太友好。这可咋办呢? 周南的办法，是双手合十。刚好这次国际会议，也正是佛教大会。周南大使这么做，也很自然。结果，礼貌也有了，态度也有了，很机智。

还可以再举一个例子。我有一个朋友是纪委工作的。他跟我讲，他们下去查案子的时候，有一个难办的事，就是地方上的宴请参不参加。参加？那好，三天一小宴，五天一大宴，你案子甭查了。但是一餐都不吃，也不近人情，而且工作也不好开展。他的办法是什么呢？是事先讲好：到的这一天，接风这餐饭，吃。走的那一天，饯行这餐饭，也吃。其余时候，一日三餐，我们专案组自己吃，全部吃食堂，吃工作餐，绝不接受宴请。临行时，地方上要送礼，可以，两瓶酒，两条烟，决不多收。当然，宴请也好，礼品也好，都决不接受涉案人员的。这样，原则也坚持了，面子也给了。

所以，有经有权，要靠实践。实践当中，总会想出各种办法来。当然，大家要听我讲，也可以提几条原则性意见。

第一，**抓大放小**，也就是"**大事经，小事权**"。中国有些成语，针锋相对啦，寸土必争啦，恐怕不一定好。这样做的结果，是什么呢？是你死我活，是残酷斗争，是成王败寇。这是斗争的哲学，战争的思维，不是和谐的哲学，和平的思维。和平的思维，是主张谈判的，也是主张让步、妥协的。当然，让步、妥协，也要有尺度，有底线，有策略，那就是"原则问题不能让步，枝节问题可以商量"。因为谈判的时候，你总有一些是不可以讨论的。比如中英两国就香港问题谈判，小平同志就说主权问题不能谈。但是，也总该有一些事情是可以商量的。什么都不能商量，那还谈什么判啊？所以，原则问题必须针锋相对。非原则问题，"让他三尺又何妨"嘛！中东谈判，不也主张"以土地换和平"吗？怎么能"寸土必争"呢？总之，大问题，骨子里的东西，绝不让步。鸡毛蒜皮，就睁一只眼闭一只眼吧！不哑不聋，不做阿公，搞那么清楚干什么？像海瑞那样，手下的文书领办公纸，也要自己数。发给你十张，交回来也得是十张，不能贪污国家的那张纸，这就清得有点过头了。结果,海瑞派到哪个地方,哪个地方的官员就集体辞职。这活没法干嘛!

或许有人会说,你讲的这个"抓大放小"我不同意。我认为大事小事都重要,甚至小事更重要,"细节决定成败"嘛!所以,我的主张,是"大事不含糊,小事不马虎",你觉得怎么样?这个问题,我现在就可以回答:很好!我还可以愉快地告诉你,我自己就是这种风格。我写稿子,是一个标点符号都不会放过的。即便如此,我仍然难免出错,笔误、口误不断。如果再大大咧咧、马马虎虎,那还得了?所以,我很赞成你的主张。

不过,我也必须负责任地告诉你,我能这样做,是因为我乃"文化个体户"。我在工作的时候,一般不需要与别人协调,也就不存在哪些让步、哪些坚持的问题。如果需要协调呢?就得"抓大放小"了。比如《百家讲坛》的节目,根据时长的规定,播出内容只能是三十三分钟。这就总得删掉一些东西。那么,哪些保留,哪些删去?也只能权衡轻重。也就是说,大事经,小事权,是讲需要权宜的时候。不需要权宜,就另当别论。

第二,**得意忘形**,也就是"**方向经,方式权**"。这一条,也可以理解为"内容经,形式权",或者"目标经,路径权"。就是说,你要做什么,你的努力方向是什么,终极目标是什么,这个是不能改变的。否则,权宜就没有意义,或者就成了见风使舵,也就"不宜"。但是,如何达到目的,是可以商量的。这就好比你到某个地方去,走哪条路,是坐船、坐车,还是坐飞机,是可以选择的。又好比我们写文章,做讲座,实质性的东西得死守不放,表达方式则可以随意一点,可以根据情况来。方向、目标、内容,这是"意";方式、路径、形式,这是"形"。只要得"意",就可以忘"形"。当然,无论怎样权宜,你选择的,都只能是"正当手段"。你不能说,既然手段可以权宜,那我就去偷去抢。这肯定是不可以的。

第三，**各行其是**，也就是"**下级经，领导权**"。此话怎讲？就是同一个单位，企业也好，政府部门也好，在原则性和灵活性问题上，要有分工。原则性是由下级掌握的，灵活性是由领导掌握的，办事员不能有灵活性。办事的人也灵活，那就没谱了。领导为什么就可以灵活呢？因为他掌握全局，知道什么是西瓜什么是芝麻。而且，你不可能每件事都捅到领导那里去。这样，灵活处理的，总是少数，无碍大局，不至于伤及原则。

第四，**讨价还价**，也就是"**不能最好，就退而求其次**"。这也是孔子的主张。《论语·子路》记载孔子的话说——

> 不得中行而与之，必也狂狷乎？狂者进取，狷者有所不为也。

什么意思呢？我们交朋友，最好能交到"中庸之人"，叫做"中行"。万一找不到呢？那就交"狂者"，或"狷者"。狂者，就是积极进取，突飞猛进，勇往直前的。狷者，就是消极抵抗，守住底线，有所不为的。这两种，也对付。

这话看起来，好像不符合中庸之道。因为所谓"狂者"，其实就是"过"。所谓"狷者"，其实就是"不及"。过犹不及，怎么也可以交往？对此，孟子有一个解释。在《尽心下》，孟子说，孔子难道不希望与"中庸之人"交往吗？可是不一定找得到嘛！也就只好退而求其次（孔子岂不欲中道哉，不可必得，故思其次也）。看来，就连中庸，也可以打折扣，可以商量，可以权。在这里，**中庸是经**，**狂狷是权**。

但是，请大家注意，孔子的"讨价还价"，也是有原则，有底线的。这条底线，就表现于所谓"狷者"。狷是什么？有所不为。什么不为？不道德的事情，不正确的事情，绝对不做。我是很看重这一条的。因为做一个勇士，做一个烈士，这个标准太高了，大多数人做不到,至少我是做不到的。因此,我的主张,是**守住底线**。比方说,讲话。你说我这人永远说真话,我所有的真话都说出来,我想什么就说什么,做得到吗?可能有人做得到,但未必所有人、大多数人都做得到。那怎么办呢?守住底线。什么底线?不说假话。如果这也做不到,那就再退一步,守住最后一条底线——不说话。这,总做得到吧?

何况这与说真话也不矛盾。不能说话的时候不说话,一旦说话就不说假话,那么,你所说的,岂不都是真话了?所以,这也是很多伟大思想家的主张。康德就说,一个人所说的必须真实,但没有义务把所有的真实都说出来。我现在奉行的,就是这个道德标准。我说的每句话都必须真实,但是我不承诺说出所有的真实。坦率地告诉各位,我肯定有很多话,这辈子都不会说出来,就烂在肚子里了。但只要开口,就不说假话。实在不行,就沉默。不要小看这个沉默!现在有些人老是喜欢唱高调:某某问题你为什么不出来说话?某某事件你为什么不挺身而出?我觉得能够做到沉默就可以了。想想"文革"期间,如果当时六亿人民都能够沉默,都不跟着喊打倒这个,打倒那个,会怎么样呢?历史都要改写了。

所以,我们千万不要小看这个"守住底线"。**守住底线,比追求高尚重要得多**。

七　中庸与和谐

说完权宜,再说和谐。

和,是中国文化的重要概念。《论语·子路》记载孔子的话说——

> 君子和而不同,小人同而不和。

这段话,大家都很熟悉,也很重要,因为讲了两个概念——和与同。这两个概念，表面上看一样，其实很不一样。怎么不一样？打个通俗的比方，男人和女人在一起，就叫"和"。男人和男人、女人和女人在一起，就叫"同"。和又怎么样？能生孩子。同又怎么样？不能生孩子。所以，西周时期的思想家史伯就说——

和实生物，同则不继。

史伯这话，记载在《国语·郑语》里。意思也很清楚——和，就能产生新的生命；同，就难以为继，没有前途。其实，和，不仅是异性相交，也包括反对近亲繁殖。近亲繁殖也是同，远亲繁殖才是和。血缘关系越远，生下来的孩子就可能越优秀。

显然，这是我们民族在社会实践中得出的结论，与农牧业生产有关，与人类自己的繁衍生息也有关，在《周易》当中也有反映。《易经》六十四卦，基本上都是既有阳爻又有阴爻的，而且"阳卦多阴，阴卦多阳"。这就是和。只有乾坤两卦，纯为阳爻或阴爻。但是，看卦的时候，不能这么看，仍然要看成有阴有阳。比方说，看乾卦，要把初爻上面的五爻，都看成阴爻，叫做"见初阳不见其余之阳"。看坤卦也一样，要"见初阴不见其余之阴"。为什么？有阴有阳，才是"和"。这个问题，上次已经讲了，不再重复。

这么一说，我们就看出"中"与"和"的联系与区别了。**中，是反对走极端；和，是反对无差异**。或者说，**不片面就是"中"，不单一就是"和"**。再或者说，**中，就是不偏不倚；和，就是多样统一**。

实际上，中国文化从来就是反对单一的。有句老话，叫做"**水至清则无鱼，人至察则无徒**"。你那个水，干净得不能再干净，纯净水，能养鱼吗？不能。一个人，太精明，明察秋毫，也不是什么好事。还是像我这样老花眼比较好，经常有些东西看不清楚，但大的方向还是看得清的。还有一句老话，叫做"**峣峣者易折，皎皎者易污**"。峣峣者,就是又薄又尖又脆的东西,啪的一下就折断了。皎皎者,非常非常干净的,也很容易污染。这就叫"白衣难穿,好人难做"。相反,海纳百川,有容乃大。海纳百川,总不能纳的都是矿泉水啊!江河奔涌,泥沙俱下,鱼龙混杂嘛!《荀子·法行》说,有人问子贡,你们老师的门下,怎么乱七八糟的,什么人都有啊?子贡说,君子正身以待,来者不拒嘛!再说了,你没听说过"良医之门多病人"吗?

所以,清一色,未必是什么好事。相反,越是多样,越有差异,越好。万紫千红,百花齐放,百家争鸣,就是多样嘛!一花独放,不好。但是,单一固然不是和谐;如果只有多样,也不是。既多样又统一,才是和谐。因为只有这样,才是中庸。怎样是"多样统一"?刚柔相济,德才兼备,文武双全,都是。还有"南人北相"或"北人南相",也是。中国的"命相学"认为,南方人像北方人,北方人像南方人,一定大富大贵,最好。为什么?他内部有差异性,有冲突,有矛盾,但又统一。

问题是,我们怎样做到呢?也有几条建议。

第一条,**做减法**。为什么要做减法?因为"*以他平他谓之和*"(《国语·郑语》)。事情做过头了,就得减。比方说,夫妻两个,恋爱的时候爱得死去活来,结婚以后打得死去活来。为什么呢?原因就在四个字——亲密无间。美学上有个原理,叫做"有距离才有美感"。结婚之前,因为有距离,怎么看,怎么好。结婚以后,什么距离也没有了。然后说话又不注意,做事也不讲究,可不一塌糊涂?这就要做减法。所以我的口号是:亲密有间,贪得有厌。你说让人不贪(不是贪污,广义的贪),其实也是很难做到的。人总是有欲望的嘛!但是,你节制一下行不行?同样,再好的夫妻,我个人建议,都应该保留自己的隐私。这不仅是策略,也是尊重。亲密有间,贪得有厌,就不会出事。

第二条,**唱反调**。据《左传·昭公二十年》记载,齐景公曾经问晏子(就是晏婴)，和与同，有什么不同？晏子说，做饭的时候，放点盐，放点梅子，放点酒，五味调和，这就是"和"。烧一锅水，然后煮水吃，这是"同"。然后晏子接着说，君臣关系也一样，不能"以水济水"，只能"济其不及，以泄其过"。具体做法是：一件事情，国君认为可行，臣下发现还有问题，就提出问题来，作为补充，使这个事情真正能够做成。这叫"君所谓可，而有否焉，臣献其否，以成其可"。相反，国君认为不行，臣下发现还有可行的部分，就提出这可行的部分来，以便去掉那"不行"。这叫"君所谓否，而有可焉，臣献其可，以去其否"。这叫做唱反调。唱反调，才能"和"。拍马屁，那是"同"，只会坏事。

第三条，**开汽车**。汽车怎么开？左了就右一右，右了就左一左。方向盘，来回倒，左左右右，右右左左。这其实就是中庸。还是据《左传·昭公二十年》，郑国的大臣子产临终时，曾经嘱咐他的接班人子大叔，说我执政的特点是宽松，其实宽比严难。为什么呢？他说你去看，水和火，哪个温柔哪个凶？火凶，水温柔。所以你去看老百姓，死于火的多，还是死于水的多？死于水的多。因为火很凶啊，大家都怕。水很温柔，谁怕它啊？结果都跳下去淹死了。所以宽政比猛政难执行。你的水平不如我，你执行不了我的宽政，还是严一点的好。但是，子大叔是一个心肠很软的人，他上台以后不忍心执行严政。结果，下面的治安一塌糊涂。最后没有办法，只好大批去杀人。

于是，孔子就发表评论了。孔子说，执政的人，如果对下面很宽和，下面的人就怠慢。这叫"政宽则民慢"。这个时候，你就要凶一点，要"纠之以猛"。但是，如果你太凶了呢，老百姓、下级，就会受到伤害。这叫"猛则民残"。这个时候，你又要宽一点，要"施之以宽"。孔子说，宽，是调剂猛的（宽以济猛）；猛，是调剂宽的（猛以济宽）。宽了就凶一点，凶了就宽一点，天下也就太平（政是以和）。

这三个例子，实际上是三种对象。做减法是对自己的，唱反调是对领导的,开汽车是对下级的。哪一条最难?第二条。有几个人敢跟领导唱反调啊?所以,中庸也并不容易呢!

八 再说几句

关于中庸的话题,基本上就讲完了。最后再说几句,算是做个总结。

第一,中庸是道德境界。

中庸,为什么是道德境界呢?因为中,首先是正。中则正,正则中,叫"中正"。这个正,包括正直、正派、正义、正当、正道,当然关乎道德。其次,中庸也是一种修养。不卑不亢,不即不离,不偏不倚,不疾不徐,这些都是修养,也都要靠修养。修养到一定程度,就成了境界,叫"平和"。或者说,中庸,就是"中正平和"。**中,就是不偏不倚;正,就是不左不右;平,就是不高不低;和,就是不异不同。**中、正、平、和,在儒家那里,被认为只有修养很高的人才能做到。所以孔子说:"中庸之为德也,其至矣乎!"

这样说,当然会有问题。因为中庸如果是最高境界,只有修养很高的人才能做到,孔子又怎么会接着感叹"民鲜久矣"呢?少数人才能做到的,大多数人做不到,很正常嘛!所以,也有学者认为,"中庸之为德也,其至矣乎"这句话,其实是反问句。它的后面,应该打问号。这样一来,孔子的话,就可以这样理解:中庸作为一种道德,难道是至高无上、高不可攀的吗?当然不是。它是很平常、很普通的嘛!那么,老百姓为什么跟它久违了呢?

如此解释,当然也通。不过我认为,前一种解释也没什么问题。因为在孔子那里,最高境界都是像中庸这样,既普通又很难的。比方说,仁,是不是最高境界?是。那么,它在天上、在山顶吗?不。孔子说,我想要它,它就来了(我欲仁,斯仁至矣)。这可真是"仁远乎哉"(《论语·述而》)。孔子还说:"一日克己复礼,天下归仁焉。"(《论语·颜渊》)这就更容易了。但是,要成为一个"仁人",又很难。他自己不是——孔子的说法,是"若圣与仁,则吾岂敢"(《论语·述而》),学生中就更是一个没有。别人问他,子路、冉有、公西华,算不算"仁"。他的回答,是"不知其仁也"(《论语·公冶长》)。仁,是不是又很难,是不是也只有修养很高的人才能做到?

这就是儒家道德标准的特点。一方面,它一定是最普通的,是每个人都能做到的"常人之道"。否则,这个标准提出来,就没有意义,就成了"唱高调"。这个道理,前面讲过了。但是,另方面,它又一定不是轻易就能做到的。轻而易举就能做到,道德的修养,人格的塑造,就没有了必要。这就很像后来禅宗讲的"顿悟成佛",一方面极其容易(一念悟时,众生是佛);另方面,真正成佛的,又没有几个。这个话题,我们以后再说。

第二,**中庸是思想方法**。

中庸的思想方法,就是不认死理,不走极端。不走极端,前面说过了,这里补充讲讲不认死理。《论语·子罕》说——

子绝四:毋意,毋必,毋固,毋我。

这段话,提出了孔子反对的四种思想方法:意,必,固,我。意,就是凭空猜测;必,就是绝对肯定;固,就是冥顽不化;我,就是自以为是。说得再白一点,意,就是想当然;必,就是一根筋;固,就是死心眼;我,就是半吊子。这些都是认死理。认死理也有两种。一种是认自个儿的死理,总认为自己想的、说的、知道的,都是对的。还有一种是认别人的死理。听到一种说法,就一口咬定,逮住不放,然后一条道走到黑,钻牛角尖。

中庸之道相反,主张"认活理"。据《论语·先进》,有一次,子路问孔子:听到了,就去做吗?孔子说,父亲和兄长都还在嘛,怎么能闻风而动？冉有也问孔子：听到了，就去做吗？孔子说，当然！听到了，就去做。这下子公西华不懂了。公西华说，先前阿由（子路）问先生，听到了，就去做吗？先生说，父亲和兄长都还在，怎么能听到了就去做。现在阿求（冉有）也问先生"闻斯行诸"，先生却说，既然听到了，当然就该去做。同样的问题，不同的答案，还截然相反，阿赤我实在想不通，因此斗胆向先生请教。

孔子怎么说呢？孔子说，阿求这个人，胆小怕事，老往后缩，所以要推他一把（求也退，故进之）。阿由的胆子一个顶俩，爱往前冲，所以要拽他一把（由也兼人，故退之）。

这就是"中庸之道"了。冉有退缩，是"不及"，得推一推。这是"唱反调"。子路兼人，是"过"，得拽一拽。这是"做减法"。这边推一推，那边拽一拽，这是"开汽车"。孔子因材施教，因人制宜，是个优秀的驾驶员。

所以，中庸，一定是认"活理"，不认"死理"。但是，中庸的"活"，绝不是乡愿的"活"。乡愿的"活"，是"见人说人话，见鬼说鬼话"。这是耍滑头，是不诚实，是见风使舵，吹牛拍马。中庸的"活"相反，是"见鬼说人话，见人说鬼话"，反着来。目的，是要"以他平他"，是要"济其不及，以泄其过"。终极目的，还是"正道"。

第三点，**中庸是处世哲学**。

前面说过，中庸之道，是要用的。对于我们中国人来说，最大的用处，就是处世。孔子是很会处世的。他所在的那个"世"，是乱世。乱世怎么处？向宁武子学习。宁武子，是卫国的一个大夫。孔子说，宁武子这人，了不得啊！国家政治清明，他就又聪明又能干。这叫"邦有道则智"。国家政治黑暗，他就傻乎乎的。这叫"邦无道则愚"。孔子接着说，他的那个聪明能干，我们是学得到的（其知可及也）。他的傻乎乎，我们就学不来了（其愚不可及也）。为什么？因为宁武子的傻，是装傻，当然"愚不可及"（《论语·公冶长》）。

在这里，孔子表达了他的一种处世态度，同时也是政治态度，那就是：当一个国家政治清明的时候，我就为这个政府服务。如果这个国家政治黑暗，国君是个暴君，我就不为他服务。但是我也不反抗，反抗是要掉脑袋的。怎么办？宁武子的办法是装糊涂，孔夫子的办法是一走了之，换个地方待。让我为这个黑暗政府服务，做他们的狗腿子，我不干。和他们针锋相对作斗争，做革命烈士，我也不干。既不做烈士，也不做奸臣，这就是中庸。

说到这里，或许有人会说，这个不好，还是应该作斗争。面对黑暗政治和混蛋政府，你也不反抗，我也不斗争，怎么行？对不起，这个我就不管了。我在这里，只是原封不动地传达古人的原意，并不代表本人立场。赞不赞成，是诸位的事。

第四，**中庸是做人艺术**。

关于"做人艺术"，不妨举曹操的第二任正妻卞夫人为例。据《三国志·后妃传》裴松之注，卞夫人升为正室以后，曹操每次外出打仗带回一些战利品，什么首饰之类，总是让她先挑。卞夫人呢，每次都挑中等的。大家知道，女人是最喜欢首饰的。所以，几次以后，曹操就觉得奇怪，就问她为什么。卞夫人说，挑最好的是贪婪，挑最差的是虚伪，所以我挑中等的。这就是会做人了。看来，卞夫人也是个懂中庸的。中庸，是不是又不算很难？

现在，《中庸的原则》这一讲，就讲完了。要说的是，中庸是中国智慧，但不是唯一的智慧。先秦诸子当中，也有不主张中庸的。法家和道家，就都不主张。法家的智慧是斗争的哲学，老子的智慧是转化的哲学。所以，讲完中庸，还要讲老子。不过，老子之前，要先讲孙子。因为老子哲学和《孙子兵法》，恐怕是有关系的。讲完孙子，就可以讲老子了。

兵家的思考

一　兵家的时代

今天我们讲《兵家的思考》。

兵家就是军事学家。中国古代的军事学家,按照时间的顺序,首推孙武,以后有吴起,有孙膑。当然,再往后,还有很多很多。代表作呢?最重要的,就是《孙子兵法》。这本书,以前学术界是有争议的。比方说,《孙子兵法》是不是孙武的作品?《孙子兵法》是否就是《孙膑兵法》?是只有一本《孙子兵法》,还是既有一本《孙武兵法》,又有一本《孙膑兵法》呢?有争议。但是,1972年得出结论了。因为这一年,在山东临沂的银雀山汉墓,出土了两本兵法,一本《孙子兵法》,一本《孙膑兵法》。从此,这个问题就不再争论了。现在大家都知道,孙武有一本《孙子兵法》,孙膑有一本《孙膑兵法》。另外还有吴起,也有一本《吴子兵法》,只不过失传了。这是春秋战国时期军事学的重要成果。

那么,春秋战国时期,为什么会产生这么多军事学家,会有这么多军事学著作?我认为,这是时代决定的。所以,要弄清楚"兵家的思考",就得先弄清楚他们的时代。

请大家看看这三大军事学家,都是什么时候的人?孙武,春秋晚期,与孔子同时。吴起,战国初期,与墨子同时。孙膑,战国中期,与孟子同时。也就是说,孙武、吴起、孙膑三个,是春秋晚期到战国中期的人物。

春秋晚期到战国中期,是一个什么样的历史阶段呢?是**中国古代战争形态的转折期**。我们知道,战争这种事,从来就有。我们的老祖宗炎帝、黄帝那会儿，就打得天昏地暗，不可开交。但是战争的形态，随着历史的发展，也在变化。怎么变呢？简单地说，就是"远古无章法，春秋讲规则，战国无底线"。炎黄时代，还不开化。那时的战争，估计是没什么章法的。很可能就像现在民间的械斗，拎根棍子就上去了。但是到了春秋，却特别讲究战争规则。这些规则，现在看来，也很有意思。

第一是时间。春秋时期的战争，原则上只有一天，最短的只有一个早上。就是太阳出来了以后，集合，打仗，早饭先不吃了，打完了再吃，叫"灭此而朝食"（《左传·成公二年》）。最长的，也就从日出打到日落，就不打了。

第二是地点。春秋时期的战争，在哪里打？一般在国境线上。国境线是有标志的。具体做法，是犁沟，灌水，把挖沟的土堆在两边，再种上树。这个动作，就叫做"封"，也叫"封疆"。封疆的地方，在边境，所以叫"边疆"。如果两国交兵，就要把军队开到这里来打，叫"疆场"。这是春秋时期最常规的做法。

第三是礼仪。春秋时期的战争，我总结了四句话，叫做"列阵如球赛，宣战如请客，交手如吃饭，格斗如竞技"。双方的军队（可能是一个国家的，也可能是联军），开过来，开到疆场就停下，宿营。第二天早晨，太阳出来了，大家开始布阵。这边摆摆，那边摆摆，就像我们现在踢足球，双方队员上场，先站好了。宿营或者布阵以后，派一位将军，或者使节，先去对话。态度，当然是客客气气；用词，也都是外交辞令。比如公元前632年晋楚城濮之战，楚军统帅成得臣（字子玉）派使者宣战，话就是这么说的：敝国的战士，恳请与贵国的勇士做一次角斗游戏。贵君靠在车里观赏就行，敝帅得臣愿意奉陪。晋文公则派使者回答说：敝国的寡德之君，已经接到大帅的命令了。拜托大夫告诉贵部将士，驾好你们的战车，忠于你们的国事，明天早上见（《左传·僖公二十八年》）。对完话，有时还要谦让一下，然后开打。决出胜负，就结束战争。所以，最多一天工夫。比如城濮之战，就只有四月初二这一天。初三、初四、初五，胜利了的晋军原地休整。吃完楚军留下的粮食，就启程回国了。

第四是讲究游戏规则。这些规则是：一，不斩来使。这个大家都明白。二，不鼓不成列。就是对方阵势没有摆好，不能击鼓进军。三，不重伤。就是格斗的时候，不能让同一个人重复受伤。如果对方已经受伤了，不管伤在哪里，都不能再打第二下。四，不擒二毛。就是花白头发的人不能俘虏，只能抓黑头发的。五，不逐北。就是敌人打败了，逃跑了，不能追。追也可以，五十步为限。跑到第五十一步，就不能抓他。从这个意义上讲，五十步是可以笑一百步的。跑五十步就不会做俘虏，你跑一百步干什么？最不可思议的，是有时胜利的一方还要帮助失败的逃跑。公元前 597 年，晋楚两国战于邲（在今河南省郑州市东）。晋国的军队逃跑时，有一辆战车陷在坑里跑不动。楚国的军队追过来，就教他们怎么办。教了两次，终于让晋军跑掉。更不可思议的是，晋国的逃兵得了便宜还卖乖，一边跑，一边掉过头来讽刺楚军：到底是大国的军队啊，逃跑的事挺内行的嘛（《左传·宣公十二年》）！

现在看来，春秋时期的人，还真是可爱。

春秋的战争，怎么会是这样的呢？也有两个原因：第一，当时的战争，主要是出于政治目的。要知道，我们现在称之为“中国”的地方，当时叫“天下”。天下就是全世界。天下有个最高领导人，叫“天子”，也就是“天之元子”。天子就是“世界王”。天子把天下分给诸侯，就是“国”。这些“国”，叫“封国”，也叫“列国”，也就是“许多的国”。国的元首叫“诸侯”，也就是“诸多的侯”。诸侯是“国之君”，叫“国君”。国君把“国”分给大夫，就是“家”。家的元首是大夫，大夫是“家之君”，叫“家君”。从西周到春秋，我们中华大地上，就是这样一个政治结构。换句话说，是一个“国际社会”。

那么,战争的目的是什么呢?维持国际秩序。这个秩序,原本是应该由天子来维持的,他是"世界王"嘛!这就叫"礼乐征伐自天子出",是"天下有道"的表现(《论语·季氏》)。但是到了春秋,周天子实际上管不了啦!这就要由那些实力强大的"超级大国"出来管事,当"国际警察"。这就叫"称霸"。这些国家的君主,就叫"霸主"。春秋时期,有五个霸主,叫"春秋五霸"。不过,霸主再牛,也得尊重天子,天子才是"天下共主"。所以,在春秋的时候,一个诸侯要去进攻另一个诸侯,从理论上讲,必须得到周天子的授权。他也不能说我要称霸,要当超级大国,还得说我是为了维护周天子,是周天子派出来的"维和部队"。所以,他事情不能做得太过分。而且,能够让对方屈服,跟他签条约,就达到了称霸的目的,也就不能再打。再打,说不过去,在国际社会也会孤立。这是第一个原因。

第二,当时的战士都是贵族,这是春秋战争的一个重要特点。春秋时期,人分三等:贵族、平民、奴隶。这是阶级。贵族又分四等:天子、诸侯、大夫、士。这是等级。前三等贵族,都是有领地的,是"领主"。士呢?没有领地,但有权利。有什么权利?三个。第一是祭祀权,第二是参政权,第三是参战权。平民和奴隶,就没有这些权利。所以,春秋时期跟古希腊一样,当兵是非常光荣的。平民和奴隶,还没有资格。

这样一来,战争,就成了贵族的专利。一旦有战争,原则上是国君当统帅,大夫当将军,士当战士。"战士"这个词,就从这里来——战斗的"士"。由于他们身上穿着盔甲,所以也叫"甲士"。由于他们是从军的,所以也叫"武士"。总之,所有的战士都是贵族。平民和奴隶,也参战,但不打仗。干什么?背东西。因为一个战士出征了,他要带很多东西,粮食啊,行李啊,武器啊!他的车,要由马来拉。马,晚上要吃草。于是,喂马啊,扛武器扛行李啊,这些"下贱"的事情,就由平民和奴隶来承担。贵族要做的事情,是体面地去战斗。

战争既然是体面的事,贵族的事,那就要有贵族气派、君子风度;就必须彬彬有礼,恪守游戏规则,讲究费厄泼赖。这是春秋时期的战争。

战国时期就完全两样了。第一,战争的目的,不再是"称霸",而是"兼并",也就是吞并别人的国家。所以,结果也不是"签约",而是"灭国"。第二,战争的主力,也不再是贵族,而是平民,所以也没什么"风度"可讲。第三,战争的方式,也不再是"角斗",而是"杀人"。有些国家,比如秦国,甚至规定以首级论功。就是打完仗以后,战士们拎着一堆脑袋回来,你八个,我五个。然后根据这个给予奖励,甚至可以由平民升为贵族。所以,战国时期的战争是非常残酷的,杀人如麻,不择手段,旷日持久。比如秦赵长平之战,就从四月打到九月。最后,秦将白起,一次坑杀降卒四十万人。当然,古人记录的数字,是要打折扣的。可是,四十万打个对折,也有二十万。再打个对折,十万。再打个对折,五万。活埋五万人,也很恐怖啊!但是,这样的记录,在战国时期比比皆是。

这就是《孙子兵法》、《吴子兵法》和《孙膑兵法》的时代背景。为了让大家了解得更清楚,我们再讲两个战争实例。

二 两个战例

这两个战例,一个是齐楚召陵之战,一个是秦赵长平之战。前者发生在春秋,后者发生在战国。这两次战争,可谓天差地别,最能看出春秋与战国的区别。

先说齐楚召陵之战。

召陵之战,发生在公元前 656 年,记载在《左传·僖公四年》。这一年,齐桓公为了称霸,联合了鲁、宋、陈、卫、郑、许、曹等国,组成联军,进攻蔡国。打败了蔡国,又要打楚国。楚国当然就得到消息了,就派了一个大使过去,进行交涉。楚国使者的话,很有名。他是这么说的——

> 君处北海，寡人处南海，唯是风马牛不相及也，不虞君之涉
> 吾地也，何故？

这里我稍微交代一下。前面说过，春秋时期，是特别讲究礼仪
的。礼仪之一，就是国君和国君、诸侯和诸侯，不能说话，说话就是失
礼。怎么办呢？各派一个代理人去说，但要用国君的口气，因为他是
代表国君说话。所以，楚国这个使节，就用楚王的口气说：君上您住
在老北边，寡人呢，住在老南边，"风马牛不相及"啊！什么意思？
风，就是雌雄相诱。动物到了发情的时候，雌性的就会散发出一种特
殊的气味，像风一样，雄性的闻到就跑过去了。这就是"风"。所以
楚国的使节说，贵我两国相距千里，哪怕是牛马谈恋爱，也跑不了这
么远啊！没有想到君上您却来了，请问这是为什么呢？

齐国这边，桓公是不能说话的，就由国相管仲来回答。管仲就说
了一大堆，基本上都是强词夺理。比如管仲说，我们的征讨，是得到
了授权的。那么，请问谁的授权？召公。授权给谁？太公。这两个，
是什么时候的人？西周初年。大家想想，这个授权，是不是也太久了
一点？至于攻打楚国的理由，也有两条。一条叫做"尔贡包茅不入，
王祭不共，无以缩酒，寡人是征"，还有一条叫做"昭王南征而不复，
寡人是问"。什么意思？原来，当时诸侯各国，都对天子有义务。楚
国的义务，是进贡一种茅草，以便周天子祭祀的时候用来滤酒。春秋
时期，许多诸侯都不怎么把天子当回事。这种茅草很久没有进贡，大
约是可能的。这就是"尔贡包茅不入"。至于周昭王，是一个不怎么
样的君主。他南巡来到汉水的时候，汉水的人很讨厌他，就在过河的
时候给了他一只漏船。这就是"昭王南征而不复"。事情，大约也是
有的。于是管仲就用齐桓公的口气说：所以寡人要来打你，所以寡人

要来问问。

这两个，显然都是借口。发动战争，从来都是要找借口的，比如"大规模杀伤性武器"等等。但楚人不能说这是借口。因此楚国的大使就说，过滤纸忘了送去，这是敝国寡德之君的罪过，今后岂敢不送？至于昭王为什么没有回去，请君上去问汉水好了。就是说，小的过错他认了，大的他不认。

这就谈不拢。谈不拢怎么办？各自回去，准备打。齐国的军队继续前进，楚国的军队也开了过来，两军对垒在召陵。开战之前，齐桓公建议先搞一次阅兵式，楚国的统帅屈完也同意。于是两个人坐同一辆战车检阅部队。齐桓公说，看到寡人的军队了吧？用这样的军队去作战，谁能挡得住（以此众战，谁能御之）？用这样的军队去进攻，哪座城攻不下来（以此攻城，何城不克）？楚国的统帅就说，君上如果以德服人，谁敢不服呢？如果一定要用武力，那么本帅也可以告诉君上，我们楚国以汉水为护城河，以方城山为城墙。贵国的军队虽然人多，怕是没有用武之地。齐桓公说，我们起兵，难道是为了寡人？是为了贵我两国永远友好嘛！楚国的统帅就说，这也正是鄙国寡德之君的愿望啊！最后呢？签订盟约，然后双方收兵回国。所以这场战争，其实是"不战之战"。

再说秦赵长平之战。

长平之战，发生在公元前260年，《史记》的《赵世家》、《白起王翦列传》、《廉颇蔺相如列传》，以及《资治通鉴》都有记载。事情的起因，是争夺上党。上党，在今山西省长治市，当时属于韩国，是韩国的一个郡。公元前262年，也就是长平之战前两年，秦昭王采用应侯范雎"远交近攻"的策略，派兵攻下了韩国的野王（在今河南省泌阳县）。野王，是上党通往韩国国都的渡口。渡口一断，上党就成了"孤岛"。守，是守不住的。何去何从呢？最便当的办法，是干脆将上党郡拱手相让，献给秦国，"以土地换和平"嘛！然而上党的郡守冯亭，却另有主张。他的主张，是献给赵国。因为他很清楚，秦国对于上党，是志在必得的。现在上党归了赵国，秦国一定会跟赵国过不去。这就能把祸水引向赵国。赵国受到秦国的军事威胁和攻击，就会跟韩国亲善。韩赵两国联合起来，也就可以对付秦国了。

问题是赵国干不干。对此，赵国君臣，也有争议。平阳君赵豹就反对。他认为，第一，天上掉馅饼，这叫"无故之利"，不是什么好事。第二，韩国这么做，明摆着别有用心，是"欲嫁其祸于赵也"。第三，秦国攻下野王，断绝上党和韩国的联系，就是想让上党不战而降。人家费了老大的劲，我们来坐享其成，他会干吗？

可是，赵国的国君孝成王，却无法拒绝这"挡不住的诱惑"。他说，平时我们出动百万大军，耗时几年都攻不下一座城池。现在一下子就得到十七座，这样的好事上哪找去？平原君赵胜等人也支持。于是，赵国就把上党"笑纳"了。

这下子秦国当然不干。公元前260年，秦昭王派左庶长王龁（龁读如河）领兵进攻韩国，很快就拿下了上党。上党的人民，纷纷逃往赵国，被安顿在长平。四月，秦将王龁攻赵，赵国则派廉颇御敌。廉颇虽然是名将，赵军却实在不是秦军的对手。六月一次战斗，七月一次战斗，不是损兵，就是折将。廉颇很清楚，敌强我弱，敌客我主，最好的策略，是打"持久战"。所以，廉颇决定凭险固守，死拖硬扛，一直扛到敌人疲惫不堪、给养不足、士气低落，我方有机可乘的时候再说。

遗憾的是，赵孝成王对廉颇的"持久战"不感兴趣，对敌人的"反间计"他倒信以为真。反间计是秦相范雎使的。他花大价钱派人到赵国散布流言蜚语，说秦国并不害怕廉颇，因为廉颇反正就要投降了。秦国最害怕的，其实是马服君赵奢的儿子赵括。赵孝成王听了这话，还当真就任命赵括取代廉颇，担任长平战场的统帅。

赵孝成王的这个决定，遭到了蔺相如和赵括之母的强烈反对。

蔺相如反对，是因为他深知赵括"名不副实"。赵母反对，则是因为她深知赵括"自以为是"。他们也都知道，赵括虽然熟读兵书，却没有作战经验，根本就不会打仗，是个"纸上谈兵"的角色（纸上谈兵这个成语，就以赵括为典型）。赵奢生前就说，打仗，是要死人的。但是括儿说起来，却那么轻松容易，这还有不坏事的？可惜赵王听不进去，一意孤行。

这就便宜了秦国。秦王立即任命武安君白起为上将军，并下令严格保密。果然，踌躇满志的赵括到了军中，就把廉颇的战略战术、军纪号令，全都改了，还撤换了军官。然后下令出击，准备大干一场。白起呢？假装战败，落荒而逃，其实是诱敌深入。同时又暗中派了两支奇兵，穿插迂回，突然袭击。一支绝断了赵军的后路和粮道，并形成包围态势。一支将赵军拦腰截断，使其首尾难顾。秦王得到消息，亲赴河内郡征调十五岁以上壮丁赶往长平，阻截赵国的援兵和军粮。赵军被围得结结实实，上天无路，入地无门，只能坐以待毙。

到了九月间，赵军断粮，已经四十六天，军队内部暗中杀人来吃。赵括组织了四支突围部队，五次冲锋，都打不开一条出路。绝望之下，赵括亲自披挂上阵，率领精锐部队强行突围，却被秦军乱箭射死。赵军没了统帅，哪里还有战斗力？也只能束手就擒。

据《史记·廉颇蔺相如列传》，这场战争，赵军"前后所亡凡四十五万人"。《白起王翦列传》则说，赵军"四十万人降"，白起"挟诈而尽坑杀之"。这样算下来，真正战死的竟只有九分之一，九分之八是战败后被冤杀的俘虏，这可真是惨绝人寰！

战争到了这一步，也确实需要"兵家的思考"了。《孙子兵法》、《吴子兵法》和《孙膑兵法》，就是这种思考的结果。由于《吴子兵法》已经失传，《孙膑兵法》残缺不全，我们今天只讲《孙子兵法》。实际上，《孙子兵法》也是最重要的。它被尊为"武经之首"，在历史上和世界上都产生了广泛而深远的影响。

那么,孙子的思想是什么?

三　战争与和平

有人说,孙子是"反战"的,是"和平主义者"。

有没有道理呢?有。第一,春秋战国,确实有"反战言论",有"和平主义者",比如墨子,比如老子。第二,《孙子兵法》的《谋攻篇》,有一句脍炙人口的名言——

　　　　百战百胜,非善之善者也;不战而屈人之兵,善之善者也。

这句话,过去一般都这样翻译:打一仗胜一仗,并不是顶尖高手;不用发动或进行战争,就能让敌人屈服、投降,才是最高境界。不战而胜嘛!

那么,怎样才能不战而胜?孙子也有说法,叫做"上兵伐谋,其次伐交"。谋,就是谋略;交,就是外交。这些都是非战争手段。比如蜀汉建兴三年(公元225年),诸葛亮征南中,马谡提出的"十六字方针",就是"攻心为上,攻城为下,心战为上,兵战为下"(《三国志·马良传》裴松之注引《襄阳记》)。后来成都武侯祠赵藩的《攻心联》,也说"自古知兵非好战"。孙子的话,如果也这样理解,那他的"和平主义",就可谓"疑似"。

但是,对于这种解释,我心里一直犯嘀咕。犯嘀咕也有两个原因。第一,是不理解这样重要的一句话,为什么会安排在《谋攻篇》。我们知道,《孙子兵法》的结构,跟《论语》不一样。《论语》二十篇,篇与篇之间是没有逻辑关系的,每篇的内容也并非同一主题,篇名不过取自第一句话。比如《学而》,取自"学而时习之";《为政》,取自"为政以德"。《孙子兵法》十三篇,却是每篇一个主题。篇与篇之间,也有逻辑关系。比如它的第一篇,叫《计篇》或《始计篇》。这一

南宋　无款　祖师骑驴图

谁犯错误，谁失败。错误，都是自己犯的。因此，所有失败者都是被自己打败的。

——易中天语

篇讲什么呢？讲战争的策划。战争之前我们应该干什么，我们怎样计算，我们怎样谋划，这是做战争的准备。第二篇叫《作战》。讲什么呢？野战。就是讲把军队开到疆场以后，怎么打。第三篇叫《谋攻》。讲什么呢？攻城。因为春秋晚期、战国初期，已经不像春秋早期那样，把人家打败，追五十步就不追了。这个时候是追的，可能一直追到人家国都的城下，再攻下来，把这个国家灭掉。这就是"战"与"攻"的区别，即"合陈（阵）为战，围城曰攻"。唐人李筌在注《孙子兵法》的时候，就是这么说的。所以，《作战》就是讲野战的，《谋攻》就是讲攻城的。《孙子兵法》前三篇，对应的正是当时战争的三个阶段——庙算、野战、攻城，李零先生称之为"战争三部曲"（《兵以诈立》）。

这就有问题了。"不战而屈人之兵"这句话，为什么要放在攻城阶段讲呢？在《始计篇》讲，不行吗？一开始，就策划好，通过政治谋略和外交手段让对方屈服，不是更省事吗？退一步说，在《作战篇》讲，也行。野战的时候，难道就不要"不战而屈人之兵"？难道野战的时候，就该往死里打；攻城的时候，就要往活里做？讲不通啊！

第二，除了"不战而屈人之兵"，孙子还讲过"反战"吗？没有。事实上，《孙子兵法》十三篇，从头到尾都在讲战争，讲打仗，没有一篇讲"反战"。它的最后两篇，一篇讲火攻，一篇讲间谍。这两个，一个"残忍"，一个"卑劣"，都没有和平主义所必需的人道精神。实际上，如果孙武当真是赞赏"不用发动或进行战争，就让敌人屈服、投降"的，就应该再写一篇《不战》或《非战》或《免战》，而且应该放在卷首才对呀？为什么不呢？

这些问题，我一直想不通。

最近，在"天涯社区"的"关天茶舍"读到一篇文章，让我茅塞顿开。这篇文章的题目，叫《"不战而屈人之兵"的涵义》。作者署名"洛克"，发帖网友为"小园香径长"。在这篇文章中，作者运用校勘学中的"本校法"，得出一个结论——"不战而屈人之兵"的"屈"，应该理解为"短缺"或"不足"。这是有道理的。第一，屈，确实并不一定就是屈服，也可能是短缺、不足、亏欠，比如"理屈词穷"就是。理亏了(理屈)，就没话说(词穷)嘛！第二，"不战而屈人之兵"的宾语，是兵，不是人，也不是国。也就是说，并非屈人之国、屈人之人、屈人之君，而是"屈人之兵"。兵，当然可以理解为"军队"，但也可以理解为"军事力量"。因此，所谓"不战而屈人之兵"，就应该这样理解：**在攻城之前，先让敌人的军事能力（包括指挥能力和作战能力）严重短缺，根本无力抵抗。接下来，就有可能实现"不战而胜"的目标。**但要说清楚，这个目标，只是攻城阶段的战术目标。至多，也只是战役目标，绝非战略目标。

问题是，为什么这个战术目标或战役目标，是攻城阶段的？

原因很简单，就因为攻城的成本太高，代价也太大。在当时的条件下，攻城几乎都是旷日持久、劳民伤财、吃力不讨好的事。《谋攻篇》说，准备攻城的工具、器械，就得三个月。然后要在敌人的城下堆土，构筑攻城用的土山，又三个月。六个月下来，将领已经非常地焦躁，就驱赶着战士像蚂蚁一样往上涌。可是，对方难道就不反抗吗？这六个月时间，人家就没做准备吗？结果，是我方战士死了三分之一，城还攻不下来。这就是攻城的代价。或者说，是孙子看到的代价。比这更严重的，是唐人李筌注《孙子兵法》时提到的：后魏太武帝攻盱眙城，战士轮番上阵往前冲，掉下来一个，又冲上去一个。最后，弄得"尸与城平"，也没能攻下来。这样的代价，简直就是"灾难性"的(此攻之灾也)！

事实上，一旦攻城，对方是一定会死守的。为什么一定死守呢？因为对方已经没有退路了。他从国境线上一路败退回来，退到自己家里，实在退无可退。而且，这个城里面保存着宗庙和社稷，祖宗和家人也都在这里。一旦城破，敌人进来，很可能会把宗庙社稷都毁了，甚至会屠城，后果不堪设想。困兽犹斗，他怎么能不拼一死战呢？显然，硬攻一个城市，只能是迫于无奈。能不攻，就不攻。

这就要"谋划"，所以叫"谋攻"。怎么谋？孙子的说法，是"上兵伐谋，其次伐交，其次伐兵，其下攻城"。伐，就是"挫败"。首先挫败敌人的政治谋略，其次挫败敌人的外交手段，再次挫败敌人的军事力量。实在不行，才去攻打敌人的城池，因为"攻城之法，为不得已"。伐谋、伐交，都是"不战而屈人之兵"，成本最低，代价最小，是为"上策"。伐兵和攻城，都是真刀真枪地硬干，成本最高，代价最大，是为"下策"。这是成本的考虑。

除了成本，还有效益。在《谋攻》篇，孙子开宗明义就讲效益——

　　用兵之法，全国为上，破国次之；全军为上，破军次之；全旅为上，破旅次之；全卒为上，破卒次之；全伍为上，破伍次之。

这里的问题，在于什么是"全"，"国"又是谁的？有人说，全就是"保全"。国呢？有人说是敌人的。这就奇怪。战争，又不是慈善事业，为什么要保全敌国？有人说是自己的，这也不通。你都打到敌人城下，都进入攻城阶段了，怎么还要考虑保全本国？本国没有危险嘛！再说了，如果"全国"之国是"我国"，那么，"全军"之军岂非也是"我军"？春秋兵制，一万两千五百人为一军，五百人为一旅，一百人为一卒，五个人为一伍。你对自己的保全，都到"伍"了，请问这仗还打不打？也没这么"保全实力"的吧？

其实，"全国"的解释有问题，"破国"的解释就更麻烦。请问，什么是"破国"之国？有人说是国家。那好，我再问，偌大一个国家，怎么"破"呢？其实，这里的"国"，并非"国家"，而是"国都"，即"都城"。春秋时代，诸侯的封域，叫"邦"。邦，才相对于今天的"国家"。

国，则是都城，是邦的中心。国之外，是郊，是野，是鄙，再外面是疆。那是野战的地方，即"疆场"。野战之后，是攻城。因此，"破国"就是"破城"。都城一破，国就没了。谁的都城？当然是敌人的。兵临城下的，是"我军"嘛！

这就清楚了。"破国"之国既然是敌国，"全国"之国当然也只能是敌国。只不过，"全国"之全，并不是"保全"，而是"完整地得到"。因此，所谓"全国为上，破国次之"的意思就是：攻破这座城市，活捉或杀死其国君，是下策。让他们举城投降，让我军得到一座完好无损的国都，才是上策。这不是"发慈悲"，也不是"维和"，而是真正的"全胜"。

这，就是孙子心目中的"战争与和平"。

四　成本与效益

其实，孙子根本就不可能是"和平主义者"，因为他是军事学家，也是军事家。他自己，是要指挥战斗的。而且，《孙子兵法》十三篇，也既不是"纸上谈兵"，又不是"自娱自乐"，而是要派用场的。什么用？打仗。给谁用？吴王。他这本书，就给吴王阖闾看过。为什么给他看？知道他有野心，想称霸。你说，孙子怎么会反战呢？

实际上，孙子不但不反战，而且野心还不小。什么野心？全。这个"全"，不仅是"全胜"，也是"全得"。还是在《谋攻篇》，在讲完攻城的成本代价之后，孙子说——

> 故善用兵者，屈人之兵而非战也，拔人之城而非攻也，毁人之国而非久也，必以全争于天下，故兵不顿而利可全，此谋攻之法也。

要理解这段话，还是得讲点历史。前面说过，孙子是春秋晚期的人。春秋的战争，从早期到晚期，目的都是"争霸"，所以说"春秋无义战"。这，就是"必以全争于天下"的"争"。但是，争霸的方式，早晚不同。早期，只要对方服软、认输、装孙子、签条约，一般也就不打了。胜利的一方班师回国，失败的一方国不破，家不亡。晚期，则要"灭国"。那些失败的小国，弄不好就没了。也就是说，在春秋晚期，争霸战争已经开始转化为兼并战争。

兼并就要灭国，灭国就要攻城。只要攻下敌国的都城，灭国就是一句话、几分钟的事情。所以，"拔人之城"与"毁人之国"，是一致的。拔人之城，多半是为了毁人之国。所谓"毁人之国"，也不是要把人家的城池都毁了，房子都烧了，人民都杀了。没那么麻烦。春秋时期的灭国很简单，只要把社稷和宗庙毁了就行。社稷，就是社坛和稷坛。社坛祭祀土神，稷坛祭祀谷神。人民"非土不立，非谷不食"（《白虎通·社稷》），所以，社稷就是产权和主权的象征。宗庙，则是祭祀国君列祖列宗的，是政权和治权的象征。庙没了，就只能去当"亡国之君"。南唐李后主的"最是仓皇辞庙日"（李煜《破阵子》），就是这个意思。

灭国既然如此简单，那就不用多费手脚。更何况，兼并的目的，原本就是"得到"，不是"毁灭"，当然是得到的越多、越完整，越好。这就是"全"，也就是效益。相反，旷日持久地打攻坚战，自己损失惨重，最后得到一座空城，则是典型的吃力不讨好。这就是成本，或成本与效益。因此，孙子主张，**一定要以"全胜全得"的原则，去争霸于天下**（必以全争于天下）。只有这样，才成本最低（兵不顿），效益最高（利可全）。

这就是所谓"屈人之兵而非战也，拔人之城而非攻也，毁人之国而非久也"。也就是说，挫败敌人的武力，靠的不是硬打硬拼；占领敌人的城池，靠的不是强行攻坚；兼并敌人的国家，靠的不是旷日持久。这才是攻城掠地、兼并别国的高超谋略和正确方针（此谋攻之法也）。因为只有这样，才最合算。

显然，这不是发慈悲。作为超一流的军事家和军事学家，孙子绝不会愚蠢到把战争看作慈善事业。所以，一旦不能"全国"，多半还是要"破国"的。为了实现争霸的目的，孙子只会用"霹雳手段"，不会有"菩萨心肠"。只不过在他看来，破国、破军等等，是下策，是不得已。很清楚，所谓"不战而屈人之兵"，所谓"全国为上"，正是这位"精算师"精密计算的结果。他要的，是"产出投入比"和"效益最大化"啊！

由此可见，**孙子不是什么"和平主义者"，而是"战争经济学家"**。而且，正是出于对成本和效益的考虑，孙子提出了一个重要的军事思想——**慎战**。

慎战，是孙子思想的核心范畴之一。《孙子兵法》开篇第一句就说——

兵者，国之大事，死生之地，存亡之道，不可不察也。

这话意思很清楚：战争，是一件非常重大的事情，关系到一个国家生死存亡，不可以不认真研究。那么，研究的结果，又是什么呢？孙子的结论，是**轻易不要发动战争**。为什么呢？也有三个原因。

第一，**打不起**。孙子算过一笔账。他说，派十万军队出去打仗，常规的开销要"日费千金"。因此而不能正常从事农业生产的，也多达七十万户（不得操事者，七十万家）。因为派一个士兵出去打仗，后方就要七个人来供养他。再加上社会不安定（内外骚动），百姓服劳役（怠于道路），实际损失更大（《孙子兵法·用间》）。这个成本太高了！

第二，**拖不起**。我们知道，当时的战争，首先是疆场作战，然后是兵临城下。野战部队加上后勤部队，从国都出发，走到国境线上，再深入敌后。这么长的运输距离,供应和补给都是问题。长途运输吧?疲于奔命。就近购买吧?物价飞涨。结果是什么呢?是军力耗尽,财力枯竭,国库空虚,是"百姓之费,十去其七";"公家之费"则"十去其六"。如果一打几个月,这个仗是打不起的。当然,孙子也提出了一个解决的办法,就是"食于敌",也就是吃敌人的,在敌国解决供给问题。但是第一,你要吃得着;第二,能吃也有限。因此,应该做到"役不再籍,粮不三载",也就是兵员不一再征集,粮草不多次运输。宁肯笨笨地速战速决(拙速),不可为了取巧而久拖(巧之久)。总之,"兵贵胜,不贵久"(《孙子兵法·作战》)。因为对于战争而言,时间就是金钱,效率就是生命。

第三,**输不起**。这个道理,谁都明白,不用多讲。因此,孙子提出一个主张,叫做"主不可以怒而兴师,将不可以愠而致战"。就是说,作为君主,你不能一恼怒就发动战争;作为将领,你不能一生气就发起进攻。孙子说,你今天恼怒,明天还可以高兴(怒可以复喜);今天气愤,明天还可以快乐(愠可以复悦)。但是,"亡国不可以复存,死者不可以复生"(《孙子兵法·火攻》)。一旦战败,你后悔都来不及。

所以,孙子提出"**十二字方针**",叫做"非利不动,非得不用,非危不战"(《孙子兵法·火攻》)。就是说,没有十足好处,就不要采取行动;没有必胜把握,就不要随便用兵;不到危急关头,就不要轻易开战。总而言之一句话——

合于利而动,不合于利而止。

这句话,《九地篇》和《火攻篇》都有,可见孙子之重视。实际上,《孙子兵法》通篇都贯穿着成本意识和效益意识。这句话被反复强调,并不奇怪。

这就要计算。而且,在决策阶段就要算,叫"庙算"。庙,就是庙堂,也就是朝廷。就是说,开战之前,先在家里算好。用什么算呢?用小棍儿,有骨头做的,有竹子做的。它的名字,就叫"算",也叫"策",也叫"筹"。这三个字,都是竹字头。可见当时这东西,还是竹子做的多。庙算的时候,谋士、谋臣们,就用它来比划,所以也叫策划、筹划。怎么比划?一件事情,有什么好处,就在好处这边放根小棍儿。有什么坏处,则在坏处这边放一根。或者说,这个好处是我方的,就放在我方这边。这个好处是敌人的,就放在敌人这边。这些放下来的小棍儿,就叫"筹码"。标志着有利条件的,就叫"胜算"。最后,数一数两边都各有多少筹码。这就叫"计算",也就是统计一下,看看两边各有多少根"算"。然后再算一下百分比,看看我方有"几成胜算"。这样算下来,就知道打这一仗,合算不合算了。合算就打,不合算就不打。这就是《孙子兵法》第一篇《始计》要讲的事情。

于是我们可以看出,孙子在进行战争策划的时候,考虑的就是一个字——利。甚至我们还可以说,他就是"唯利是图"。讲清楚这一点,很重要。因为我们以前讲战争,总是说正义啊,道德啊,都是这种讲法。而孙子讲的战争的目的,就是效益最大化。这是一个非常了不起的见解!你想嘛,战争的成本那么高。没有效益,何必要打仗呢?就算是正义的战争,反侵略战争,在具体作战的时候,难道不希望用最小的代价,换取最大的胜利吗?难道不希望我方将士尽可能少牺牲,敌人那边尽可能快完蛋吗?战争的经济学,岂非所有的参战者和领导人都应该考虑的?

五 胜与败

从"战争经济学"出发,孙子提出了他的第二个重要概念——**善战**。这也并不奇怪。因为只有"善战",才可能实现战争中"效益最大化"的目标。

问题是,什么叫做"善战",怎样才算"善战"?

孙子之论"善战",主要集中在《形篇》(也叫《军形》)。在短短三百七十多个字中,孙子一口气说了五个"善战者",一个"善用兵者",两个"非善之善者"。这两个"非善之善者",一个叫"见胜不过众人之所知",一个叫"战胜而天下曰善"。前一条的意思,是说战斗之前就能预见到胜利,但这种预见,并没超出一般人的认识。这样的将领,不算真正的"善战者",倒也说得过去。不好理解的是后一条——打了胜仗,大家都说好。这就奇怪。难道打了胜仗大家都没表示,都不夸他,才是真正的"善战者"?

哈!孙子的意思,正是如此。他说——

善战者之胜也,无智名,无勇功。

这就是说,真正的善战者,他取得的胜利,既不会有谋略之名,也不会有英武之功。什么运筹帷幄,智慧过人;什么神机妙算,料事如神;什么出生入死,浴血奋战;什么冲锋陷阵,勇往直前;这些美誉,都跟他"不搭界"。为什么呢?因为第一,他只不过是在战争中没犯错误(战胜不忒)。第二,他只是战胜了容易战胜的人(胜于易胜者也)。第三,他甚至只是战胜了已经失败的人(胜已败者也)。如此而已。

这可真是"说得轻巧,卖根灯草"。难道善战者的胜利,只不过是捡了便宜?

当然没有这么简单。如果这么简单,就不是《孙子兵法》了。实际上,孙子的意思是说,**真正善战者的胜利,是建立在必胜基础之上的**。正因为是"必胜",所以看起来没什么了不起。同样,正因为是"必胜",所以还没开始,敌人就已经失败了。

那么,怎样才能"**必胜**"?

这就要分析:哪些人会胜,哪些人会败。孙子的回答是——

胜兵先胜而后求战，败兵先战而后求胜。

这话意思很清楚：但凡胜利者，都是先有必胜的把握，然后再去打。但凡失败者，则是不管三七二十一，先打了再说。先打了再说，就没有胜利的？当然有，还不少。战场上，瞬息万变，什么事情不可能发生？敌人决策错误，自己上门送死的都有。但在孙子看来，这只能叫"侥幸"，并非"必胜"。必胜，就只能胜券在握，然后再打。

在这里，有两点需要说明。第一，所谓"先胜而后求战"，讲的是"主动进攻"（求战）。敌人兵临城下，强行破营攻城之类，就不在此例。那是想战也得战，不想战也得战的。事实上，孙子这本书，原为争霸战争而写。他讲的，都是争霸。这种战争，主动权掌握在那些大国和强国手里，当然可以"吃柿子拣软的捏"，专挑弱的小的下手。何况古代的正规战争（游击战、遭遇战不算），从策划、准备、动身，到开战，往往有很长的时间。双方的军队，开到战场以后，要先扎营、布阵，有时还要择日、宣战。这样，即便两军对垒，也不一定就非打不可。自知不利的一方，也可以选择不战。因此，就算是两强争霸，也可以反复掂量、盘算、拿捏，可以先谋而后动，算好了再打。比方说，没有胜算，就按兵不动，等待时机。时机成熟，再发起进攻。公元221 年的夷陵之战，东吴统帅陆逊，就是这么对付刘备的。当时，刘备率军顺江东下，与吴军对峙在夷陵。吴军将领纷纷要求出击，陆逊却另有主张。他不但不出击，反倒下令大踏步后退，把数百里的崇山峻岭都让给刘备，自己坚守在猇亭前线，拒不应战。这样一拖七八个月，等到蜀军运输困难，给养不足，斗志越来越涣散，士气越来越低落时，陆逊才出手。结果，一仗打得刘备满地找牙，最后病死在白帝城。

第二，所谓"先胜而后求战"，只是孙子的主张，你也可以不同意。想想也是，世界上，哪能每件事情都有百分之百的把握呢？一定要稳操胜券才动手，有些事情恐怕就别做了。其实，在我看来，打仗就像做生意，有时是要凭直觉的。可惜，凭直觉就能胜利和成功的，是天才，而天才总是少数。所以，听孙子的话，也没错。至少，在求战之前，你要有足够的把握和准备。有备则无患，盲动就只能靠侥幸了；而侥幸，是靠不住的。

那么，已有胜算，就一定胜利吗？未必。孙子说——

善战者，能为不可胜，不能使敌之必可胜。

这就是说，最会打仗的，也只能保证自己不会失败，却未必一定战胜敌人。为什么？因为**最后的胜败，取决于敌人**。比如陆逊能够打败刘备，就因为刘备犯了致命的错误。他放弃了可以水陆并进的有利条件，让水军上岸，在山林之中安营扎寨，还连成一片。这就等于把自己置于败军之地。结果，陆逊只搞了一次火力侦察，就有了办法。他命令士兵每个人带一把茅草，到了刘营就放火，在放火的同时进行攻击。这就是有名的"火烧连营"。可见，陆逊的胜利，要感谢刘备。刘备不犯错误，结果就难讲。所以孙子说——

不可胜在己，可胜在敌。

这意思也很清楚：**败不败，在自己。胜不胜，在敌人**。败不败，为什么在自己？因为自己不犯错误，就不会失败。胜不胜，为什么在敌人？因为敌人不犯错误，自己就不会胜利。相反，如果自己犯错误，自己就失败。敌人犯错误，敌人就失败。总之，谁犯错误，谁失败。错误，都是自己犯的。因此，**所有人都是被自己打败的**。

现在，请大家想一想，我们可以看出什么呢？可以看出孙子的思路。是什么呢？胜与败，**失败比胜利重要**。敌与我，**敌人比自己**

重要。

　或许有人会问，你刚才不是说，错误都是自己犯的，失败也都是自己败的，那就应该自己重要啊，为什么敌人更重要呢？原因很简单，就因为失败比胜利重要。战争的结果，无非三种：胜、败、平。其中，自己胜利，最好；自己失败，最坏；不胜不败，中等。那么，我们自己，能够争取到哪一种呢？中等。因为最会打仗的人，也只能"为不可胜"，不能"使敌之必可胜"嘛！所以，争取"最好"，得让敌人失败。避免"最坏"，则要避免自己失败。自己不败，就能"保本"。进一步，还能争取"红利"。了不起，不赔不赚，打个平手。失败，是不是比胜利重要？

　这就要分析、研究、琢磨，找到失败的原因。原因也无非两种，一是自己犯混，二是敌人使坏。秦赵长平之战，就二者兼而有之。不过自己犯混，是没救的。读再多的兵书，也没用。敌人使坏，却可以对付。怎么对付？一是不被敌人忽悠，这就能"保本"。二是反过来忽悠敌人，这就有"红利"。敌人，可不比自己重要？

　问题是怎么做。《军形篇》也有两句话——

先为不可胜，以待敌之可胜。

立于不败之地，而不失敌之败也。

　孙子这两句话前面，都有"善战者"三个字，可见是"善战之道"。意思也很明白，就是首先要站稳脚跟，然后再等待敌人的错误。一旦敌人出现失误，马上抓住不放。当然，积极主动一点，还可以引诱敌人失误。说白了，就是"**为自己做准备，让敌人犯错误**"。这样，就既能"立于不败之地"，又能让敌人成为"己败者"。

　不过，这就又有了两个问题：第一，怎样立于不败之地？第二，如何让敌人犯错误？

六　怎样立于不败之地

怎样才能立于不败之地？要讨论这个问题，最便当的办法，是先看看，哪些将领容易犯错误，容易被打败。有哪些呢？五种：拼命的、怕死的、暴躁的、自尊的、心软的，《孙子兵法·九变》分别称之为必死、必生、忿速、廉洁、爱民，实际上是**五种致命弱点**。孙子认为，有这五种致命弱点的人，都不适合带兵打仗，至少不能成为优秀的将领。为什么呢？因为他们的性格特征，都很容易被敌人利用。敌人发现了这些弱点，就会想办法让他们做出错误的判断、错误的决策，采取错误的行动、错误的方针。

是这样吗？是。比如第一危，叫什么呢？必死。什么是"必死"？就是还没上战场，就不打算回来了。有人会说，这不是勇敢，不是视死如归吗？怎么不对呢？因为这种想法，勇敢倒是勇敢，但勇敢得没有道理。要知道，战争追求的不是"必死"，而是"必胜"。打仗也不是去"送死"，是去"杀敌"。你自己先死了，杀什么敌？这就不叫"打仗"，只能叫"拼命"了。拼命的结果，是被敌人利用。你不是想死吗？我也正好想让你死。那我就成全你，你死去吧！更何况，不怕牺牲，就难免鲁莽。不懂得保护自己，就不可能消灭敌人，反倒可能被敌人消灭。因此，一个将领，如果抱着必死的信念去打仗，这样的人，是可以让他死在战场上的，也是可以战胜的。这就叫"必死可杀"。

第二危，叫"必生"。什么是"必生"？就是还没上战场，先想着要活着回来。这就与前一种刚好相反，却同样要不得。战争，是一定会死人的。能活，是"幸存"。怕死，就别当兵。所以孙子说，贪生怕死，就可以俘虏他。因为你一打过去，把他打疼了，打怕了，打败了，他肯定投降。这就叫"必生可虏"。

不过，求生，是人的本能。只要有一线希望，大多数人也都是想生还的，哪怕是"侥幸"。只有被逼入绝境，置于死地，才会拼死一搏。那时，你就算不想拼命，也得拼了。所以，有时候，高明的将领也会故意这样做。比如公元前204年韩信攻赵，就曾"背水为阵"，也就是背靠河水布阵。这样一来，前面是劲敌，后面是急流。后退必死无疑，奋战还有生机。因此，汉军将士，无不以一当十，最终大获全胜，还杀了赵军统帅陈余。

韩信这一招，其实来自《孙子兵法》，这就是《九地篇》所谓"投之亡地然后存，陷之死地然后生"。韩信在事后，也是这么对手下解释的。但这一招，只有高手才能用。因为他把"必死"和"必生"统一起来了，还"反其道而用之"。你不是怕死吗？那我就让你先"死"，把你放在"死亡线"上。这个时候，怕也没用了，只能战斗，还得拼命战斗。这样一来，"必生"就变成了"必死"。而且，这个"必死"，还不再是弱点，而是优势。它的结果，也不再是"可杀"，而是"不可杀"。所以，我们看问题，得讲辩证法，不能认死理。

第三危，叫"忿速"。什么是"忿速"？就是急躁、暴躁、易怒。你一刺激他，他就跳起来，像只好斗的公鸡。孙子说，这样的人，可以戏弄他，叫"忿速可侮"。怎么戏弄？设计。什么声东击西、调虎离山、打草惊蛇、欲擒故纵，都用得上。因为忿速之人，特点是做事不过脑子，哪能看出是计？也只有上当受骗中圈套的份。这就好对付了。

第四危，叫"廉洁"。这一条奇怪！廉洁奉公，怎么会是弱点？克敌制胜，难道要靠贪污腐败不成？原来，这里说的"廉洁"，是"好名"。廉洁之人，多半爱惜羽毛、看重名誉。对于他们来说，名誉往往比生命还重要。孙子说，这样的人，就可以羞辱他，叫做"廉洁可辱"。羞辱他，又怎么样呢？很可能会像忿速之人一样，跳起来。跳起来就中计了。

显然，第三危和第四危，结果是一样的。忿速之人也好，廉洁之人也好，都可能由于对方的刺激，而沉不住气，甚至失去理智。失去理智,就会冲动,所以必须克制。只不过,对付羞辱,恐怕更难。因为忿速之人多半是大老粗,廉洁之人则多半是士大夫。士大夫,可是最要脸面的。"士可杀而不可辱"嘛!是的,我可以不要高官厚禄、荣华富贵,也可以不怕刀山火海、九死一生,但我不能不要名誉,不能忍受羞辱。因此,所谓"富贵不能淫,贫贱不能移,威武不能屈"(《孟子·滕文公下》),大约是做得到的。要说"羞辱不能动",就难。为什么?心理障碍太大。

于是,羞辱士大夫,就成了战争中难以抵御的"心理武器"之一。比如公元234年,司马懿迎战诸葛亮,两军对峙一百多天。诸葛亮多次挑战,司马懿不理不睬,诸葛亮就把女人的衣服给司马懿送去了。结果司马懿勃然大怒,上表魏明帝,请求皇帝批准他出战。魏明帝当然不会批准。不但不批准,还派了卫尉辛毗手持杖节,守在军营门口,这才算是止住(《晋书·宣帝纪》)。所以,唐人杜牧注《孙子兵法》时就说,以司马懿的聪明、睿智、沉稳,尚且"不胜其忿",何况一般人呢?

不过这事也有两说。仍据《晋书·宣帝纪》,诸葛亮就认为司马懿的"请战",不过是做秀。诸葛亮说,将在外,君命有所不受。他要真想打,还用得着"千里而请战"?此说如果成立,那就是诸葛亮按照"廉洁可辱"的规律,刺激了司马懿一下。司马懿呢?则假装受到刺激,趁机做了一把秀。这样理解,也很好玩。但不管怎么说,一个优秀的将领,确实应该"进不求名,退不避罪"(《地形篇》)。过于看重名声,也是会被人钻空子的。

第五危,叫"爱民"。爱民为什么不好?因为爱民,就有顾忌。敌人也就可以利用这个心理,不断骚扰,甚至以民众为"人质",进行要挟。这就叫"爱民可烦"。

这一条,也麻烦。爱民不好,难道置人民群众的生死安危于不顾,就好?所以,现在翻译《孙子兵法》的人,就只好想方设法打圆场。比方说,翻译为"过于爱民"、"溺爱民众"、"只知爱民"、"所谓爱民"等等。哈,这就是"你不懂他的心"了。依我看,孙子的意思,其实是"不能心软"。战争,毕竟是一件残酷的事。战争的胜败,决定着国家和民族的生死存亡,来不得半点心慈手软。如果你这也疼,那也爱,这仗恐怕就甭打了。

或许有人会问,你说的,就能代表孙子的心思吗?我想能,因为有《孙子兵法》的其他说法为据。在《九地篇》,孙子讲了"将军之道"(将读去声),也就是统帅军队的原则。这些原则,可是一点都不心软的。比方说,要蒙蔽士兵的耳目,让他们对军事行动一无所知(能愚士卒之耳目,使之无知);率领他们奔赴战场,要像登上高楼却撤去梯子一样,让他们没有退路(帅与之期,如登高而去其梯);率领他们深入敌后,要像射箭一样,让他们一直往前冲(帅与之深入诸侯之地,而发其机);还要像赶羊一样,把他们赶过来,赶过去,不知到底要去哪儿(若驱群羊,驱而往,驱而来,莫知所之)。请问,这里面可有些许爱心?

或许有人会说,此处没有别处有。在哪?在《地形篇》。没错,在这一篇,孙子确实说了"视卒如婴儿"、"视卒如爱子"的话。但他同时也说,如果过分厚养却不能使用(厚而不能使),一味溺爱却不能指挥(爱而不能令),违反纪律也不能整治(乱而不能治),那就等于娇惯出一个骄横的儿子(譬若骄子),是不对的。为什么不对?因为"不可用也"。

由此可见,如果说孙子"有爱",那也是为了"有用"。实际上,孙子讲得很直白——把士兵看作赤子,是为了让他们赴汤蹈火(视卒如婴儿,故可与之赴深谿);把士兵看作爱子,是为了让他们视死如归(视卒如爱子,故可与之俱死)。爱,只不过手段。因此,可以有"赤子",有"爱子",不能有"骄子"。

这并不奇怪。再说一遍,战争,是极其残酷的事情,也是极其严重的事情。作为三军统帅，高级将领，军事长官，只能"铁石心肠"，不能婆婆妈妈、黏黏乎乎、拉拉扯扯、磨磨唧唧。同样，作为军事学家，孙子的态度，也只能是**理性，理性，第三个还是理性**。

理性，是《孙子兵法》的灵魂。孙子那些脍炙人口的名言。比如"知彼知己，百战不殆"（《谋攻篇》），比如"攻其无备，出其不意"（《始计篇》）等等，也都贯穿着理性精神。不过我更看重的，还是他这"将有五危"。因为正如《作战篇》所言，真正懂得用兵的将领，是民众命运的掌握者，国家安危的主宰者（知兵之将，民之司命，国家安危之主也）。统帅和将领的心理素质不好，军队和国家的"灭顶之灾"，没准就在他的"一念之差"，正所谓"覆军杀将，必以五危"。所以，这是根本。抓住这个根本，就能"立于不败之地"。其他的，都是技术问题。那些技术问题，诸位有兴趣，可以慢慢琢磨，我就不多讲了。

七　如何让敌人犯错误

立于不败之地，只能"保本"。要想获取"红利"，还得让敌人犯错误。如何让敌人犯错误呢？说白了也只有两个字——**利害**。前面说过，战争，归根结底是利益的驱动。春秋战国时期的争霸战争和兼并战争，就更是如此。因此，在战争中，就不能不考虑成本和效益。或者说，考虑获取和损失。损兵折将，一败涂地，血本无归，固然不对。杀敌三千，自损八百，也不合算。因此，孙子告诫后人，战争的经济学原则，就是"非利不动，非得不用，非危不战"（《火攻篇》）。这条原则，可以用于自己，也可以用于敌人。怎么用？帮敌人打算盘。或者让他们觉得有利可图，或者让他们觉得危在旦夕，他们就一定会跟着我们的指挥棒走。当然，帮敌人打算盘，所有的数据，都得是假的，或者真真假假、半真半假。

所以，对付敌人的办法，就是"两面三刀"。两面，就是利和害；

三刀，就是**威胁**、**利诱**、**忽悠**。威胁，就是让他们"因危而战"；利诱，就是让他们"因利而动"；忽悠，就是让他们"以为有得"。这三刀，都是"非利不动，非得不用，非危不战"原则的反用。

有战例吗？有。今天可以讲两个，桂陵之战和马陵之战。为什么讲这两个？因为都是孙膑指挥的。对手，也都是魏国将领庞涓。这两次战争，《史记》、《战国策》、《竹书纪年》、《孙膑兵法》都有记载，但某些地方有出入。咱们也就别太较真，权当故事听吧！

孙膑是孙武的后代，与庞涓原本是同学。后来，庞涓到了魏国，当了魏惠王的将军。魏惠王，就是《孟子》一再提到的梁惠王。他是魏国的国君，因为把国都迁到了大梁（今河南省开封市），所以又叫"梁惠王"。魏惠王的祖父是魏文侯，父亲是魏武侯。他自己继位以后，二十多年间做到最强，是战国群雄中第一个称王的（楚人称王是在春秋）。

庞涓到了魏惠王那里，很受重用。但他有一块心病，就是知道自己的能力，比不上孙膑。于是，庞涓就做了一件缺德事。他把孙膑同学悄悄叫到魏国，然后栽赃，害他受了膑刑和黥刑。膑，就是剔掉膝盖骨；黥，就是在脸上刺字。孙膑受了膑刑，所以叫"膑"。庞涓认为，一个脸上有字、站不起来的刑徒，是不可能当什么三军统帅的。天底下最牛的军事家，那就只可能是自己了。至于孙膑，庞涓为他设计的前途，是藏起来，没脸见人。

孙膑呢？倒是藏起来了。他先是"藏"在了齐国使者的车子里，后来又"藏"进了齐将田忌的府邸中。而且，由于田忌的推荐，孙膑还成为齐威王的座上宾。这就注定了孙膑与庞涓，迟早会有一战。设计陷害孙膑的庞涓，也注定要受惩罚。

机会说来就来。公元前354年，魏惠王派庞涓率领甲士八万人进攻赵国，包围了赵国的都城邯郸（今河北省邯郸市）。情急之下，赵国向齐国求援。于是，齐威王就任命田忌做统帅，孙膑做军师，发兵救赵。孙膑因为是腿断了的，就坐在车子里面，外面蒙上帷帐，跟着田忌出去打仗，给田忌出主意。田忌就问孙膑，我们怎样救赵国呢？按照一般人的想法，既然赵国的国都邯郸被围了，那就应该直奔邯郸。然而孙膑的主意却是奔大梁，进攻魏国的国都。因为庞涓作为魏国的将领，当他自己的国都被人家攻击的时候，是不能不回来救的。要救，就得撤兵。庞涓撤兵，邯郸也就解围。反倒是他自己，匆匆忙忙往回赶，功亏一篑不说，还劳民伤财。这就既解救了赵国，又让魏国损失惨重，确实一箭双雕。

这就是历史上有名的"围魏救赵"，后来还成为"三十六计"中的一计。可惜，这只是一个"故事"。史实可能是，齐军并没有直奔大梁，而是在半路攻打平陵（今山东省定陶县）。魏军也没有回师，而是全力攻城，并拿下邯郸。不过，我们还是可以拿它来说事，因为"围魏救赵"的主意，在道理上是讲得通的。《孙子兵法·虚实》说——

　　故善战者，致人而不致于人。能使敌人自至者，利之也；能使敌人不得至者，害之也。

这意思是说，**善于作战的，总是能够调动敌人，却不被敌人调动**。能让敌人自己来，靠的是利诱；能让敌人不敢来，靠的是威胁。其实，**能让敌人不得不来，也靠威胁**。庞涓攻克邯郸以后，人困马乏，齐军趁机向大梁发起进攻，庞涓也不得不回师救国。孙膑算定魏军必经桂陵（在今河南省长垣或长葛），就在桂陵设下埋伏，狠狠地教训了庞涓一顿。这就是"桂陵之战"。孙膑这一招，当然不是"能使敌人不得至者，害之也"。但如果"活学活用"，大约也可以杜撰一句话，算作"能使敌人不得不至者，害之也"。至于"能使敌人自至者，利之也"，马上就会讲到，因为它就体现在马陵之战。

马陵之战发生在公元前341年。起因，仍然是魏国攻打别人，齐国去救。打谁呢？说不清。光是司马迁，就提供了好几种说法。《魏世家》说，魏国攻打的是赵国，赵国向齐国求援。《田敬仲完世家》也说，魏国攻打的是赵国，但向齐国求援的是韩国，因为韩国跟赵国是哥们。《孙子吴起列传》则说，魏国攻打的是韩国，而且是联合赵国一起去打，赵国又变成了魏国的同伙。反正这回，齐国又出来插一杠子，又坏了魏国的"好事"。于是魏惠王大怒，任命太子申为上将军，庞涓为将领，率领大部队，浩浩荡荡地杀向齐国。

齐国这边，派出的将领仍然是田忌，军师也仍然是孙膑。他们率领的"维和部队"，当时已经到了外黄（今河南省民权县）。这时，孙膑就给田忌出了个主意。孙膑说，魏国的军队，一贯瞧不起我们齐国，认为我们齐国人都是胆小怕事的。我们这次，也一定要给他这样一个印象。怎么做？第一，撤退，从外黄往马陵撤。马陵在哪里？说法不一。较多的学者，主张就是原来属于山东、现在属于河南的范县。第二，减灶。具体地说，就是埋灶做饭的时候，第一天挖十万人吃饭的灶，第二天挖五万人吃饭的灶，第三天挖三万人吃饭的灶。这样一来，给庞涓的感觉是什么呢？是齐国的军队不到三天，就跑一半了。这就是《孙子兵法·始计》所谓"能而示之不能"（明明能，但告诉敌人不能），也就是忽悠。

庞涓果然上当受骗。他得意洋洋地说，我早就知道齐国人是胆小鬼！于是，庞涓舍弃了他的步兵，带着精锐部队，日夜兼程，一路狂追。孙膑呢，也算准了庞涓赶到马陵，必定是晚上。马陵道路狭窄，地势险要，正是打埋伏的好地方。孙膑就如此这般地做了一系列安排，然后稳操胜券地以逸待劳，单等庞涓来送死。

当晚，庞涓的部队如期追了过来。这个时候，他一门心思只想生吞活剥了孙膑，心切呀！赶过来以后，天已经黑了。但见黑黝黝一片树林，只有一棵树上有一片白。庞涓就下令钻木取火，点起火把来，看看咋回事。结果，魏军举着火把来到树前，发现这棵树被削了皮，上面写着八个大字——"庞涓死于此树之下"。庞涓明白，自己中计了，但也来不及了。魏军一行字没读完，齐军已是万箭齐发。原来，孙膑早将一万弓箭手埋伏在周围，而且下达了"看见火光就射箭"的命令。魏军的火把，等于是发信号。自知大势已去的庞涓只好自杀，魏国的那位太子也做了俘虏。这就是"马陵之战"。

现在看来，庞涓这个人，兵法真是没学好。《孙子兵法·兵势》说得很清楚——

> 故善动敌者，形之，敌必从之；予之，敌必取之。以利动之，以卒待之。

也就是说，善于调动敌人的，让他往哪他往哪，给他什么他拿什么。用小便宜引诱他，用大部队等待他。这几条，孙膑都做到了，庞涓也都照办了。孙膑要他去马陵，他就"从之"；要他占便宜，他就"取之"。要他中埋伏，他就钻进去。很"配合"嘛！

这就是"让敌人犯错误"的三招：威胁、利诱、忽悠。说到底，就是"兵以诈立"（《军争篇》）。孙子为什么要说这话？因为在他的时代，春秋早期、中期那种温文尔雅、行礼如仪、费厄泼赖的战争，已经成了"明日黄花"。取而代之的，是尔虞我诈、杀人放火、无所不用其极。这就不能再"温良恭俭让"，不能再把战争当"奥运会"开了。实际上，《孙子兵法》一开始，也就是在《始计篇》，就说得非常明确——

> 兵者，诡道也。

这是对的。战争，不是慈善事业，也不是"学雷锋"，没那么多道德诚信可言。要讲道德诚信，只有不要战争。或者说，只有在和平环境中和法治前提下的公平竞争，才能讲道德和诚信，也应该讲道德和诚信。战场上，就讲不得这个。相反，还要把威胁、利诱、忽悠那一套，玩得不动声色、得心应手、炉火纯青。

怎么玩？我想起了一个人。谁？老子。此公，恐怕也是精于此道的。是不是呢？听完下一讲，诸位自有判断。

那就下次再说。

老子的方法

一　老子与孙子

讲完孙子,该讲老子了。

有三个问题,得先声明一下。第一,我讲老子,不讲人,只讲书。第二,书也不全讲。在中央电视台《百家讲坛》讲过的,就不讲,或者少讲。那些内容,请大家看我的两本书。一本叫《先秦诸子百家争鸣》,上海文艺出版社出的。另一本叫《我山之石》,广西师大出版社出的。第三,老子的思想,博大精深,没有谁能够在一次讲座里都讲完。我们今天,主要讲他怎么看问题。所以,今天的题目,就叫《老子的方法》。

讲老子,为什么不讲人呢?因为老子是个什么人,讲不清楚。先秦诸子当中,最说不清的,就是老子。要知道,所谓"老子",其实就是"老先生"。老先生,可多了去。我个人认为,写《老子》这本书的,跟司马迁《史记》里面有传的,不是同一个人。理由和证据,我在《先秦诸子百家争鸣》一书中已经说清楚了,这里不重复。

其实,讲书,也不容易。首先,版本就有很多。粗分,有两种传本,一种叫《道德经》,还有一种叫《德道经》。《道德经》是道经在前,德经在后,第一章的开头,是"道可道,非常道;名可名,非常名"。《德道经》则是德经在前,道经在后,第一章就是《道德经》的第三十八章,开头一句是"上德不德,是以有德"。长沙马王堆汉墓出土的《帛书老子》,就是《德道经》。为什么会有两个传本呢?李零先生的说法,是老子的学说,有两个学派在传承。其中一个,大家都知道的,就是以庄子为代表的道家。还有一个,是以韩非为代表的法家。道家系统传下来的,是《道德经》;法家系统传下来的,是《德道经》(请参看李零《人往低处走》)。这是粗分。如果细分,那版本就更多了。所以,下面我讲到《老子》某句原文的时候,可能会跟大家听到、看到的,不太一样。请别奇怪,也别以为又出了"硬伤"。当然,我会尽量使用大家比较熟悉的版本,即通常所谓"今本"。但是,如果"今本"明显有问题,我也会根据高明先生的《帛书老子校注》改过来。这一点,要请大家谅解!

难讲还有一个原因,就是《老子》究竟是一本什么书,说法也很多。比如历史上一直有人说,**《老子》是兵书**。谁说的?唐代的王真,宋代的苏辙,现代的章太炎、毛泽东。这几位,不会"满嘴跑火车"。他们这样说,肯定有道理。《老子》这本书,直接或间接地谈兵论战,大约有八九处。从这些论述看,老子应该懂军事。比如《老子》第五十七章说"以奇用兵",就跟孙子说的"兵者诡道"(《始计篇》)和"兵以诈立"(《军争篇》),很是一致。所以我在上一讲的最后,就说老子恐怕也是精于"诡道"的。历史上那些会用兵的人,也大多喜欢老子。实际上,**老子虽未必懂"兵法",却懂"兵道"**。对于真正的军事家来说,老子兵道的意义,也不亚于孙子的兵法呢!

那就来比较一下老子和孙子。

老子和孙子,许多地方还真像。比如《老子》第六十八章说,会当兵的不英武(善为士者不武);会打仗的不愤怒(善战者不怒);善于战胜敌人的,不与敌人交锋(善胜敌者不与)。为什么不要英武?因为英武就好斗。这就类似于孙子的"必死可杀"。为什么不要愤怒?因为愤怒就失控。这又类似于孙子的"忿速可侮"。至于为什么不与敌人交锋,则因为"不战而屈人之兵"是最高境界嘛(均请参看前一章)!《老子》第七十三章甚至还说:"勇于敢则杀,勇于不敢则活。"这话翻译过来就是:敢冲上去的就死,敢不冲上去的就活。为什么?因为"必死可杀"嘛!不过,老子在讲这道理时,把"勇"与

"敢"区别开来了。在他看来，冲上去只能叫"敢"，不冲上去才叫"勇"。也就是说，不做也是需要勇气的，而且还更需要勇气。因为这不是"不敢"，而是"敢不"。**敢不，才是最大的勇敢**。这个道理，我在《先秦诸子百家争鸣》一书讲过（请参看该书第六章第三节），这里不重复。

把"敢不"看作最大的勇敢，这就是"兵道"了。当然，孙子也讲"兵道"，比如"兵形象水"（《孙子兵法·虚实》）。什么叫"兵形象水"？就是说，用兵之道，形兵之法，就像水一样。水，都是"就低不就高的"；兵，也应该"吃软不吃硬"（水之行避高而趋下，兵之形避实而击虚）。水，都是"地势如何就如何流"；兵，也应该"敌人咋样就咋样打"（水因地而制流，兵因敌而制胜）。水，并不一定非得怎么流；仗，也不一定非得怎么打（兵无常势，水无常形）。用兵打仗的最高境界，就应该像行云流水，顺其自然，又变幻莫测。就算别人能看出一点名堂，那也是"知其然，不知其所以然"（人皆知我所以胜之形，而莫知吾所以制胜之形）。总之，只要能牵着敌人的鼻子走，那就是用兵如神（能因敌变化而取胜者，谓之神）。这就叫"形兵之极，至于无形"（《孙子兵法·虚实》）。

这又很像老子。因为老子也有一句名言，叫"上善若水"（《老子》第八章）。两个人都用水打比方，也都说像水最好。老子和孙子，是不是挺像？

不过依我看，他们两个，是貌合神离。因为老子的"水"跟孙子的"水"，并不在一条"河"里流。老子的"上善若水"，跟孙子的"兵形象水"，也满不是一回事。老子的意思是说，水，它对万事万物都有好处，却跟谁都不争，总是让着（水善利万物而不争），而且让到了谁都看不起、瞧不上的最低级、最卑贱的地方（处众人之所恶）。它就安安静静、与世无争地呆在那里，流向那里。结果呢？反倒最接近于"道"（故几于道）。

很显然，老是老，孙是孙。**孙子讲的是用兵，老子讲的是做人。**孙子讲"水往低处流"，意思是"吃柿子拣软的捏"，专挑敌人虚弱的地方下手。就像水，哪儿低，哪儿有空隙，就往哪儿去。老子的意思，却是做人要低调。就像水，怎么低姿态，就怎么来。老子跟孙子，一样吗？不一样吧！

实际上，老子这个人，或许懂军事，却是个不喜欢战争的。比如《老子》第三十章就讲，以正道辅佐君主的，不穷兵黩武，不争强好胜，不以武力争霸于天下（以道佐人主者，不以兵强天下）。因为战争是一件极其残酷的事情。军队走到哪里，哪里就遭殃（师之所处，荆棘生焉）。在第三十一章，老子说得更明白。他说，兵（武器、暴力、军事力量），不是"君子之器"，而是"不祥之器"。只有万不得已，才能用（不得已而用之）。就算被迫使用，也应该淡然处之，不能张牙舞爪，叫"恬淡为上"。打了胜仗，也不能得意洋洋，不能讴歌赞美，叫"胜而不美"。因为讴歌赞美胜利，等于是喜欢杀人（是乐杀人）。喜欢杀人的，不可能得天下（夫乐杀人者，则不可以得志于天下矣）。所以，打了胜仗，不能开庆功会。那应该开什么？追悼会。这就叫"战胜以丧礼处之"。为什么？因为死的人太多，只能哭，不能笑。这就叫"杀人之众，以悲哀泣之"。

看来，老子反对战争，很可能是因为他反对杀人，尤其是反对乱杀人。在第七十四章，老子警告当权者，千万不要代替刑法部门去杀人。代替刑法部门杀人，就像代替木匠砍木头一样（是谓代大匠斫），没有不砍到自己手指头的（希有不伤其手矣）。

从这个意义上讲，战争，就更是"代大匠斫"了。因此，战争，是"天下无道"的表现。在第四十六章，老子说，天下有道，战马都用来耕田（却走马以粪）。天下无道，怀孕的母马都被征用，小马驹都生在疆场了（戎马生于郊）。那么，为什么战争还是没完没了？老子认为，是由于贪婪。接下来，老子说了一句非常有名的话——

> 祸莫大于不知足，咎莫大于欲得。故知足之足，常足矣。

这就清楚了。老与孙，大不同。孙子只是主张"慎战"，并不"反战"，反倒津津乐道于"善战"。**老子，才真是"反战"的。**

问题是，既然反战，为什么又要讲"兵道"呢？

也有两种可能。第一种，论兵是为了反战。但这种解释有问题。因为老子的论兵，是真讲军事。否则，他的书，就不会被看作兵书。第二种，兵道里面或者后面，还有别的"道道"。老子论兵，不过借壳上市、借题发挥，比如讲做人要"知足"等等。这倒很有可能。

那我们就来看看，是不是这样。

二 兵道与人道

最能说明问题的，是《老子》第六十九章——

> 用兵有言，吾不敢为主而为客，不敢进寸而退尺。是谓行无行，攘无臂，扔无敌，执无兵。祸莫大于轻敌，轻敌几丧吾宝。故抗兵相加，哀者胜矣。

这段话，是《老子》这本书当中，最"地道"的"军事学论述"。它就是讲战争的，没有反战的意思。只不过，它有不同版本。版本不同，意思也不同。现在诸位看到的，是流行的版本。通常的翻译，则是这样的：用兵的人都说，我不敢主动进攻，只敢被动防守；不敢前进一寸，只敢后退一尺。这就叫"摆开阵势，却没有阵势；举起胳膊，却没有胳膊；面对敌人，却没有敌人；紧握武器，却没有武器"。在战争中，最大的祸患就是轻敌。轻敌，就几乎丧失了自己的珍宝。所以，两军相遇而势均力敌，充满悲情的一方必定胜利。

按照这个版本和这种解释，老子的意思，就该是"哀兵必胜"和"后发制人"了。实际上，"哀兵必胜"这个成语，就从这里来。哀兵为什么就必胜呢？因为他是挨打的，是被侵略、被伤害、被欺辱的。敌人打进我们的领土，掠我财物，杀我人民，辱我妻女，毁我家园。是可忍，孰不可忍？忍无可忍，必定同仇敌忾，奋起抗争，拼死一搏。于是，满腔悲愤就会变成巨大的力量。这种力量，是不可抗拒的。所以，哀兵必胜；也所以，老子说"吾不敢为主而为客，不敢进寸而退尺"。你一定不能主动进攻，你只能后发制人。

现在我们要问，这个解释，讲得通吗？讲得通，但有问题。什么问题？接不上茬。哀兵必胜，跟"祸莫大于轻敌"有什么关系？跟"行无行，攘无臂，扔无敌，执无兵"等等，又有什么关系？难道主动进攻的，就一定轻敌？难道保家卫国的人，都不需要有阵势（行无行），不需要有胳膊（攘无臂），不需要有武器（执无兵），甚至不需要有敌人（扔无敌），只需要有悲情就行了？当然，所谓"行无行，攘无臂，扔无敌，执无兵"，也可以换一种说法来翻译：摆开阵势，就像没有阵势；举起胳膊，就像没有胳膊；面对敌人，就像没有敌人；紧握武器，就像没有武器。这也是讲得通的，因为老子喜欢说"就像"，比如"上善若水"。但是，这跟哀兵必胜、后发制人，又有什么关系？

看来还得另做解释。比如李零先生，就把"哀兵"解释为"以哀礼看待用兵"（《人往低处走》）。这也是有道理的。前面说过，老子的主张，就是要像开追悼会一样对待战争，要"以丧礼处之"嘛！所以，部队的礼仪，是"偏将军居左，上将军居右"，因为"吉事尚左，凶事尚右"（《老子》第三十一章）。如果这样做，就是"哀兵"。

可惜，这还是回答不了前面提出的问题。以哀礼看待用兵，固然不会主动进攻，却也未必轻敌呀！老子为什么要发出警告，要说"祸莫大于轻敌"呢？他这警告，是对谁的呢？

显然，悲情也好，丧礼也好，都不能解释"哀兵"。靠谱的解释，应该是"慈爱"。劳健的《老子古今考》,就是这样解释的。有道理吗?有。因为"祸莫大于轻敌"的后面,还有一句话,叫"轻敌几丧吾宝"。老子的"宝",有几个?三个。是什么?一个叫"慈",即"慈爱";一个叫"俭",即"节制";一个叫"不敢为天下先",即"不打第一枪"。所谓"几丧吾宝",指的就是这三个。原文,则在第六十九章的前面,在第六十七章。

或许有人会问,是这样吗?是。因为第六十七章,也是论兵的。而且老子说得很清楚:慈爱,就勇敢(慈故能勇);节制,就广大(俭故能广);不打第一枪,就能成为领袖和首长(不敢为天下先,故能成器长)。可是现在有些人,却放弃慈爱,去追求勇敢(舍慈且勇);放弃节制,去追求广大(舍俭且广);不知道谦和退让,却一门心思只想争当老大(舍后且先)。老子说,这是找死,死定了(死矣)!相反,如果以慈爱之心去战斗,就战无不胜;以慈爱之心去防守,就坚不可摧。这就叫"夫慈,以战则胜,以守则固"。为什么呢?因为"天将救之,以慈卫之"。老天爷想救助谁,就会用慈爱之心去呵护谁。

很清楚,"几丧吾宝"的"宝",就是慈爱、节制、不打第一枪,而且首先是慈爱。于是,就在"几丧吾宝"的后面,老子紧接着说了"故抗兵相加,哀者胜矣"这句话。故,是"所以"的意思。因此,"祸莫大于轻敌,轻敌几丧吾宝。故抗兵相加,哀者胜矣"这段话,应该这样翻译:在战争中,最大的祸患就是轻敌。轻敌,就几乎丧失了"慈爱、节制、不打第一枪"这三件珍宝。所以,两军相遇而势均力敌,充满慈爱之心的一方必定胜利。

然而我们还是有问题。什么问题?轻敌,怎么就不慈爱呢?对此,陈鼓应先生有一个解释。陈先生说,轻敌是好战的表现。轻敌必多杀,多杀必伤慈(陈鼓应《老子注释及评介》)。所以,轻敌与不慈,是有关系的。这当然也通,但逻辑上还是有漏洞。因为轻敌的,未必都多杀。就算死人多,那也多半是自己人。打了败仗么!弄不好自己都死了。这就实在只能算是"轻敌",不能算是"不慈"。同样,不慈的人,也未必都轻敌。历史上那么多"屠城"的,难道都轻敌? 显然,轻敌与不慈,没有必然联系。老子这个"故"字,用得蹊跷。

其实,说蹊跷,也不蹊跷。为什么? 因为"祸莫大于轻敌,轻敌几丧吾宝。故抗兵相加,哀者胜矣"这段话,恐怕原本不是这样的。是什么样的呢? 是——

祸莫大于无敌,无敌近亡吾宝矣。故抗兵相若,则哀者胜矣。

这段文字,是从哪里来的? 从长沙马王堆出土的《帛书老子》来。马王堆《帛书老子》有两种,一种叫甲本,一种叫乙本。上面这段话,是综合甲乙两种版本的结果。

那么,这个版本,跟前面那个版本,有什么不同呢? 最大的不同,是"轻敌"与"无敌"。也就是说,"祸莫大于××,××几丧吾宝"这句话中的××,今本都写作"轻敌",马王堆《帛书老子》甲乙两种都写作"无敌",原文则是"祸莫大于无敌,无敌近亡吾宝矣"。无敌也不是"无视敌人",不是"不把敌人放在眼里"。如果这样理解,就跟"轻敌"没有区别了。应该是什么意思呢? 是"没有可以匹敌的对手",即"无敌于天下"的"无敌"。

这就对了! 为什么对了? 因为一支军队或者一个人,如果当真天下无敌,或自以为天下无敌,他还会心慈手软,克制自己,不打第一枪吗? 不会。可见,不是"轻敌则不慈",而是"无敌则不慈"。因此,老子的这段话,应该这样翻译:在战争中,最大的祸患就是没有对手,或者自以为天下无敌。无敌,就会丧失"慈爱、节制、不打第一枪"这三件珍宝。所以,两军相遇而势均力敌,充满慈爱之心的一方必定胜利。

明 陈洪绶 老子骑牛图

世界之大，无奇不有。如果只能包容谦谦君子，不能包容卑鄙小人，那就不叫"包容"了。再说了，君子，还需要包容吗？

——易中天语

现在我们知道老子"兵道"的后面，是什么"道道"了。什么"道"呢？人道。

的确，**老子很可能是一个"人道主义者"，或者有"人道精神"**。他的反战，就是证明。不过，老子大约也清楚，完全消灭战争，多半并不可能。所以，他只能退而求其次，希望手握兵权的人，不要逞勇，不要嗜杀，不要穷兵黩武、争强好胜。实在要打，也要适可而止，见好就收，不为已甚。这就是第三十章所谓"善者果而已矣，毋以取强焉"（引文据《帛书老子》，下同）。老子还说，战争，只要达到目的就行了。成功了不骄傲（果而勿骄），成功了不得意（果而勿矜），成功了不炫耀（果而勿伐），知道成功是不得已（果而毋得已居），这就叫"只求达到目的，无意耀武扬威"（是谓果而勿强）。因此，他强调慈爱，强调节制，强调不打第一枪，并把"无敌于天下"看作最大的危险（祸莫大于无敌）。

不过，这样讲，还是有问题。什么问题？前面那句"行无行，攘无臂，扔无敌，执无兵"云云，不好解释。原来，这句话，也是被后人改过的。原文，应该是"行无行，攘无臂，执无兵，乃无敌矣"。所谓"乃无敌"，按照楼宇烈先生《王弼集校释》的解释，即"无人与之为敌"。所以，这段话翻译过来就是：摆开阵势，却没有阵势（行无行）；举起胳膊，却没有胳膊（攘无臂）；紧握武器，却没有武器（执无兵）；这就是"无人为敌"了。

可惜这样一来，问题就更大了。无人与之为敌，不是很好吗？为什么还要说"祸莫大于无敌"，而且还要紧接着就说呢？难道在"人道"的后面，老子还藏着别的"道道"？

三　言外之意

还是让我们重看第六十九章。当然，这回不能再用"今本"了，得用根据马王堆《帛书老子》甲乙两种校正过的版本。它应该是这样的——

> 用兵有言曰：吾不敢为主而为客，不敢进寸而退尺。是谓行
> 无行，攘无臂，执无兵，乃无敌矣。祸莫大于无敌，无敌近亡吾宝
> 矣。故抗兵相若，则哀者胜矣。

这段话，按照前面的理解，直接翻译过来就是：用兵的人都说，我
不敢主动进攻，只敢被动防守；不敢前进一寸，只敢后退一尺。所以
说，摆开阵势，却没有阵势；举起胳膊，却没有胳膊；紧握武器，却没有
武器。这就是"无敌"了。无敌，是最可怕的。没有什么比"无敌"更
害人。因为一旦"无敌"，就会丧失"慈爱、节制、不打第一枪"三件珍
宝。所以，两军相遇而势均力敌，充满慈爱之心的一方必定胜利。

现在，请大家从头到尾读一遍，顺畅吗？

哈！更不顺畅了，是不是？一方面说，慈爱就天下无敌，就战无
不胜；另方面，又说无敌是最大的祸患，最要不得。那么，无敌，究竟
是好，还是不好？是要，还是不要？

也只有一种解释，即"乃无敌矣"的"无敌"，跟"祸莫大于无敌"
的"无敌"，不是同一个意思，也不是同一个主体。前面那个"无敌"，
是"找不到攻击对象"。楼宇烈先生的《王弼集校释》，就是这样解释
的，谓之"欲就敌相争而无敌可就"。后面这个"无敌"，则是"没人打
得过他"。高明先生的《帛书老子校注》，就是这样解释的，谓之"无
有敌过他的对手"。这两种情况，显然不可能是同一个主体。说白
了，前一个讲敌人，后一个讲自己。

这下子，老子的话就好理解了。我认为，他的意思，是说"人要
有慈爱之心"。有慈爱之心，就不敢主动进攻，只敢被动防守；不敢
前进一寸，只敢后退一尺。结果呢？敌人打过来，想摆开阵势，却没
有阵势可摆（行无行）；想举起胳膊，却没有胳膊可举（攘无臂）；想紧

握武器,却没有武器可握(执无兵)。或者说,敌人摆开阵势,却等于没有阵势;举起胳膊,却等于没有胳膊;紧握武器,却等于没有武器。为什么? 找不到攻击对象么! 这就是所谓"无敌"了(乃无敌矣)。但,这是敌人"无敌",不是我们"无敌"。敌人无敌,也不是因为他们战无不胜,而是我们不跟他打。对手都找不到,可不就"无人与之为敌"? 所以,敌人并不"牛"。同样,如果因此认为我们"牛",也大错特错! 正如王弼的《老子道德经注》所说,所谓"无敌",并非因为我们多么厉害,多么强大,多么不可战胜。相反,是因为我们无意以武力争霸天下(非欲以取强无敌于天下也),也根本就不想打仗,这才弄得敌人无战可胜,也才显得我们"天下无敌"。而且,这种状态,是在仓促之间因为不得已,才实现的(不得已而卒至于无敌),没什么了不起! 可惜,人,都是容易犯糊涂、翘尾巴的。他很可能会把"敌人找不到对手",看作"没有人是自己的对手",错解了"无人与之为敌"。那样一来,可不就会把"慈爱、节制、不打第一枪"这三件珍宝,都给丢了? 因此必须高度警惕,把"无敌"视为最大的祸患(斯乃吾之所以为大祸也)。

显然,所谓"行无行,攘无臂,执无兵",讲的是敌人。所谓"祸莫大于无敌",警告的是自己。那么,所谓"故抗兵相若,则哀者胜矣",说的又是谁呢?

是敌人,也是自己。为什么? 因为一旦我们自己丧失了"三件珍宝",变得杀气腾腾(失慈)、自高自大(失俭)、不可一世(敢为天下先),矛盾对立的双方就会转化,事情的结果也会变化。怎么变? 敌我双方,各自走向自己的反面。我们,由挨打的变成打人的;敌人,则由打人的变成挨打的。结果,按照"谁打人谁倒霉"的逻辑,自然是变得对敌人有利。原因,则因为我们自以为天下无敌。所以,老子才会谆谆告诫大家"祸莫大于无敌"。

不过,这样讲,还是有问题:难道敌人一挨打,就变成"充满慈爱之心的一方"了？如果变不成，怎么能说"抗兵相若，则哀者胜"呢？

看来，哀兵之哀，也得重新解释。怎么解释？不是"慈爱"，是"被慈爱"。被谁慈爱？天。《老子》第六十七章讲得很清楚，老天爷想救助谁，就会用慈爱之心去呵护谁（天将救之，以慈卫之）嘛！可见，慈爱的主体，是天。所以，"哀者胜矣"这句话，不能翻译为"充满慈爱之心的一方必定胜利"，应该翻译为"被老天爷慈爱的一方必定胜利"。

那么，老天爷慈爱呵护谁？

弱者。他的"天平"，是向弱者"政策倾斜"的。这并不奇怪。我们知道，慈，是一种指向性很明确的爱，而且就是长者对幼者，强者对弱者，大的对小的。比如父母对子女的爱，就叫"慈"（慈爱）。子女爱父母，则叫"敬"（敬爱）。因此，我们可以说一位老人很"慈祥"，不能说孩子"慈祥"；可以说父母是"慈父慈母"，不能说子女是"慈子慈女"。

作为"自上而下"的爱，慈又分两种。一种是心疼，即"疼爱"；一种是怜惜，即"怜爱"。疼爱，是长对幼，比如老奶奶对小孙子。怜爱，是强对弱，比如大男人对小女人。得不到疼爱或怜爱，则有两种可能。一种是可恶、讨嫌，那就姥姥不疼舅舅不爱。还有一种则是强势、强大，也就用不着心疼或怜惜。

哈，清楚了。你想得到老天爷的慈爱呵护吗？那你就得是个弱者。而且，最好是被动挨打、可怜兮兮，心中充满忧伤和悲情，也就是"哀"。哀则怜，怜则爱，爱则慈。老子说"哀者胜矣"，道理其实就在这里。他不说"慈兵"，而说"哀兵"，道理也在这里。

这就又回到了"哀兵"一词的原来解释——"充满悲情的一方"。不过在老子这里，哀兵必胜，并非因为他们同仇敌忾，奋起抗争，拼死一搏，而是因为能够得到天的呵护。相反，如果无敌于天下，或者自以为天下无敌，那老天爷就不管你、不帮你了，因为你不招人怜爱么！

老天爷的呵护帮助可是至关重要,所以说"祸莫大于无敌"。

现在,我们可以把《老子》第六十九章重新翻译一遍。先再看原文——

> 用兵有言曰:吾不敢为主而为客,不敢进寸而退尺。是谓行无行,攘无臂,执无兵,乃无敌矣。祸莫大于无敌,无敌近亡吾宝矣。故抗兵相若,则哀者胜矣。

这段话,加上解释和串联,翻译过来就是:用兵的人都说,我不敢主动进攻,只敢被动防守;不敢前进一寸,只敢后退一尺。因为真正懂得用兵的人,是以"慈爱、节制、不打第一枪",为生死存亡之道、克敌制胜之宝。于是,敌人打进来,想摆开阵势,却没有阵势可摆;想举起胳膊,却没有胳膊可举;想紧握武器,却没有武器可握。或者说,摆开阵势,却等于没有阵势;举起胳膊,却等于没有胳膊;紧握武器,却等于没有武器。这就是"无人与之为敌"了。但,这是敌人"找不到攻击对象",不是我们"不可战胜"。如果误以为我们自己"天下无敌",那就大错特错。战争中,没有比这更大的祸患了。因为这会使我们丧失或者丢掉那三件珍宝,也会反过来使敌人变主为客、变进为退、变攻为守,从不利变成有利。所以,两军相遇而势均力敌,总是被动挨打、充满悲情,或者说,能够使自己成为"哀者",因此被老天爷慈爱呵护的一方胜利。

这,恐怕就是老子的"兵道"了。它的核心,是"一曰慈,二曰俭,三曰不敢为天下先",也就是"慈爱、节制、不打第一枪"这三件珍宝。它的背后,则是**慈爱为本的悲悯情怀**。所以,《老子》第六十九章字面上讲的是"兵道",骨子里表达的却是"人道"。这正是他的"言外之意"。也所以,老子跟孙子虽然挺像,却其实大不相同。比方说,孙子的"不战而屈人之兵",只是让对方的军事力量挫败或者短缺;

老子的"行无行,攘无臂,执无兵",却是对方军事力量再强,也让他打不成。事实上,**孙子的"不战而胜",是出于成本核算;老子的"哀兵必胜",却是出于人道主义**。老与孙,岂能同日而语?

但是问题又来了。慈爱的、和平的、反战的《老子》,怎么成了兵家必读之书呢?

也只有一种可能,那就是**老子在思考和阐述这些观点的时候,他所使用的方法,是可以被兵家借鉴,甚至也可以被所有人借鉴的**。这便正是他的又一层"言外之意"。

那我们就来看"老子的方法"。

四　人往低处走

先看老子的立场。

这个不说也清楚,当然是站在弱者一边。因为老天爷的天平,都是向弱者倾斜的嘛! 实际上,老子喜欢的,肯定的,推崇的,不是小的就是柔的,不是柔的就是弱的,不是弱的就是虚的,要不就是卑下的,或者是原生态的。最好,是兼这些性质、特点而有之。比如水,就是柔的。女人,就是弱的。毂(读如谷,车轮中插轴的圆孔),就是虚的。谷(山谷、溪谷、峡谷),就是卑下的。朴(未经加工的木材),就是原生态的。婴儿,则又小,又柔,又弱,又原生态。所有这些,老子都推崇备至,赞不绝口,主张学习。

为什么会这样? 我们不妨一项一项来看。

先看婴儿。婴儿,是老子喜欢的。《老子》全书,提到婴儿有三处,还有一处说的是"赤子",也是婴儿。说法是什么呢? 第十章说"能如婴儿乎",第二十章说"如婴儿之未孩",第二十八章说"复归于婴儿",第五十五章说"含德之厚,比于赤子"。意思都差不多,就是婴儿最好,应该向婴儿学习,最好能回到婴儿的状态。

婴儿为什么就最好呢? 因为在人当中,婴儿最小、最柔、最弱啊!

你看那婴儿，刚刚从娘胎里生出来的时候，柔软得好多人都不敢抱。我女儿生出来的时候，我就不敢抱。后来我女儿又生了个女儿，还是不敢抱。那么软，怎么敢抱？但是老子说，你把他遗弃在山林里面，老虎也不吃，豺狼也不吃，老鹰也不来叼，毒蛇也不来咬（第五十五章）。因为他太柔弱了，柔弱得你心疼，要去保护他。所以，**最柔弱的，就是最安全的**。

老子还说，婴儿虽然柔弱，力量却很大。婴儿的小手，总是捏得紧紧的，从来就不放开。这就叫"骨弱筋柔而握固"。虽然他最柔弱，但是他捏得最紧。如果是男孩，那小鸡鸡还能挺得直直的，翘得高高的，虽然他根本不懂做爱是怎么回事。老子说，这就叫"精之至也"，也就是精气充沛到了极致。还有，婴儿哭个不停，嗓子却从来不哑，总是歌声嘹亮。老子说，这就叫"和之至也"，也就是身心和谐到了极致（第五十五章）。可见，**最柔弱的，就是最坚强的，也是最和谐的**。所以，婴儿是人生的最佳状态，应该回到婴儿状态去。而且，最好还是"如婴儿之未孩"（第二十章）。孩，就是笑。准确地说，是"笑出声音来"，咯咯咯地笑。老子说，会这样笑之前，是人生的最好阶段。

再说水。水，也是老子最喜欢的，"上善若水"（《老子》第八章）嘛！水的特点，也是最柔弱，同时又最坚强。《老子》第七十八章就说，天底下最柔弱的就是水，最能攻坚的也是水（天下莫柔弱于水，而攻坚强者，莫之能胜）。你石头够硬吧？我水滴石穿啊！更不要说洪水了，什么都能摧毁。所以"天下之至柔"，便可以"驰骋天下之至坚"（《老子》第四十三章）。也就是说，**最柔弱的，就是最厉害、最所向无敌的**。

再说女人。女人像水，贾宝玉就说女人是水做的嘛！女人怎么像水？柔弱。还有一条也像，卑下。水卑下，没问题，水往低处流嘛！女人怎么就卑下了？男尊女卑？对不起，不是这个意思。老子是不主张"男尊女卑"的。他的主张，是"女尊男卑"。他崇拜女人，尤其崇拜母亲。那他说的"卑下",是什么意思? 在下面。什么时候在下面? 做爱的时候。这就一不小心说到房中术了。按照中国古代房中术的说法,性交的体位主要是三种:男上位、女上位和后入位。这三种,还都有说法,一个叫顺水推舟,一个叫倒浇蜡烛,一个叫隔山取火。但最常规的,是女下位。而且,中国古代的房中术认为,这种事情是女人占便宜的。因为她不用费什么劲儿,就很舒服。男人吭哧吭哧的,其实便宜了女人。何况男人再有劲儿,总有不行的时候,女人她就总行。所以,女人比男人厉害,女人比男人持久。

这就可以得出三个结论来:**女人比男人好,下面比上面好,不动比乱动好**。老子认为,这是普遍真理,可以用到各个方面。比方说,安邦治国和军事外交。在第六十一章,老子开口就说——

　　　　大国者,下流也,天下之牝。

需要说明一下。这句话,以及后面的引文,都是根据《帛书老子》校正过的,跟大家看到的流行版本(今本)不同。这不是修改,是"正本清源",回到《老子》的"本来面目"。理由,请参看高明先生的《帛书老子校注》,这里不啰嗦。有两个概念,也要解释一下。第一个,下流,不是卑鄙下流,不是耍流氓,是指"江河的下游"。第二,牝,读如聘,是雌性动物的总称。在老子这里,也可以指女人。因此,这句话的意思,是说大国应该像江河的下游,这样就能成为全天下的"女人"或"雌性"。

由此可见,老子是主张当女性、在下面的。接下来,他就讲到了房中术。老子说,普天之下的性交,都是男的在上面,女的在下面。因为女人是不动的。或者说,是被动的。她就躺在那里,等着男人上。这就叫"为其静也,故宜为下"。结果,却是女人把男人给"吞了",弄得男人筋疲力尽,一泻千里。这就叫"天下之交也,牝恒以静胜牡"。牡，就是雄性或男人。也就是说，以静制动，以下制上，赢在女人。哈，还是姑奶奶厉害！

老子说，国与国，也如此，以"谦恭自下"为好。大国谦恭自下，就能得到小国的拥戴和归附（大国以下小国，则取小国）；小国谦恭自下，则能得到大国的庇护和包容（小国以下大国，则取于大国）。大国原本就想要有附庸国（大国不过欲兼畜人），小国原本就想要有保护伞（小国不过欲入事人）。双方都低姿态，就能各得其所，你好我好大家好，实现"双赢"（各得所欲）。不过，小国谦恭自下易，大国谦恭自下难。所以，老子又特别补充一句：越是强，越是大，就越要谦恭、低调、呆在下面（大者宜为下）。

外交如此，军事亦然。会打仗的，也应该学女人。怎么学？以静制动，以逸待劳，敌进我退，以柔克刚。其实，打仗跟做爱，还挺像。都是"相交"，都要发生关系。只不过，一个是"交锋"，一个是"交配"；一个是敌我关系，一个是男女关系。但，道理是一样的，规律也是一样的，那就是"谁先动作谁倒霉"。比如做爱，一般地说，总是男人先进入，也总是男人先退出。来时气壮如牛，去时瘫软如泥；来时迫不及待，去时一蹶不振。所以，老子一再讲，千万别打第一枪。相反，"善为士者不武，善战者不怒，善胜敌者不与"（《老子》第六十八章）。真正会打仗的，总是后来居上，后发制人。

有趣的是，就在这句话后面，老子紧接着又说了一句"善用人者为之下"。意思也很清楚，就是善于当领导的，一定要谦恭自下。这就又从军事说到政治了。第六十六章则说得更明白：统治者如果能够谦卑，能够克制，能够先人后己，那么，即便他尊崇在上，号令在前，老百姓也不觉得是负担，是祸害（处上而民不重，处前而民不害）。结果，老百姓就不会厌恶他，颠覆他，反倒乐意于推崇他的功德（天下乐推而不厌）。

很清楚，低姿态，在下面，学女人，对内就能长治久安，对外就能游刃有余，在世界上就能真当老大。看来，从房中术到帝王术，从"阴道"到"霸道"，也只有一步之遥。

不过，在第六十六章，老子提出的学习榜样不是女人，是大江大海。老子说，江啊，湖啊，海啊，为什么能够聚集那么多水，成为"溪谷之王"呢？就因为它那个地方最低啊！高处的水，都流到它这儿来了。所以，江河湖海要成为江河湖海，就一定要比一般的溪流山谷更低。这就叫"江海之所以能为百谷王者，以其善下之，故能成百谷王"。同样，你想成为"天下之王"吗？那你就得"为天下溪"、"为天下谷"（第二十八章），或者成为"天下之牝"（第六十一章）。总之，你的姿态越低，得到的就越多。

除了卑下，还要虚空。江河湖海，还有山谷，便原本都是虚空的。虚空，才进得了水，也才盛得住水。还有第十一章讲的毂（车轮中插轴的圆孔），门窗，杯子、瓶子、饭碗当中的部分，都是空的。空，才有用，也才能用。总之，**最卑下的就是最崇高的，最空虚的就是最实在的**。我们甚至还可以推出一个结论：**最原生态的，就是最现代化的**。老子喜欢未经加工的木材（朴），就因为它是原生态的。

这就是典型的"人往低处走"了。所以，李零先生就用这句话，来做他讲《老子》一书的书名。问题是，老子为什么会这样主张？这跟他的方法又有什么关系？

五　唱反调与想问题

不妨再来看看，老子最推崇的，都是什么呢？婴儿、女人、水、毂、谷、朴。特点呢？幼小，柔弱，阴性，虚空，原始。可见老子的价值取向，就是**求下**、**贵柔**、**崇阴**、**尚无**、**喜欢原生态**。

这就跟传统的、主流的，或者说儒家的、公众的价值取向，大相径庭。比如，中国人大多是尊老的，认为老人有经验、多智慧。不听老人言，吃亏在眼前。老子却说婴儿最好。又比如，传统社会讲"男尊女卑",认为男人比女人聪明、能干、有力量,老子却说女人最好,最后的胜利都是属于女人的。再比如,通常的说法,是"人往高处走,水往低处流",老子却认为水往低处流,人也应该往低处走。请大家想想,这不是"唱反调"吗?

实际上,老子就是个唱反调的。在第二十章,他公开宣布了自己的种种"与众不同"。第一个,叫做"众人熙熙,如享太牢,如春登台;我独泊兮其未兆,如婴儿之未孩"。太牢,是一种祭祀的规格。古人祭祀祖宗,祭祀神明,要有牺牲品。牺牲主要有六种,马、牛、羊、猪、狗、鸡,叫"六牲"。只用牛、羊、猪,叫"三牲"。三牲齐全,或者只要有牛,就叫"太牢"。牢,就是宝盖头下面一个牛嘛!没有牛,或者只有羊,则叫"少牢"。这里说的"太牢",意思是盛宴。泊,就是淡泊宁静;未兆,就是没有迹象。这话的意思就是说,那些普通人啊,熙熙攘攘,欢天喜地,兴高采烈,就像吃大餐,搞旅游(如春登台),高兴得不得了。只有我,无动于衷,浑浑噩噩,就像婴儿还不会笑出声音来。

接下来,老子一口气说了好几个"与众不同"。他说,大家都绰绰有余,唯独我一无所有(众人皆有余,而我独若遗);大家都清清楚楚,唯独我稀里糊涂(俗人昭昭,我独昏昏);大家都聪明伶俐,唯独我死不开窍(俗人察察,我独闷闷);大家都想大有作为,唯独我愚昧无知,冥顽不化(众人皆有以,而我独顽且鄙)。总之,大家都特把这世界当回事,只有我嬉皮笑脸,傻里呱唧,像个吃妈妈奶的顽童(而贵食母)。

老子为什么要唱反调呢?因为在他看来,**好与坏,原本没有区别,没有界限**。就是在这个公开唱反调的第二十章,老子开宗明义就说:"唯之与阿,相去几何?善之与恶,相去若何?"唯,就是唯唯诺诺。阿,通呵,就是呵斥训斥。老子说,是是是,滚滚滚,有区别吗?没区别啊!说"是是是",说不定就是"滚滚滚"的意思。说"滚滚滚"呢,没准反倒是"是是是"。同样,那善与恶、美与丑、好与坏,又差多少？也没多少嘛！

这就有问题了。既然没有多少区别，为什么要反着来呢？就因为**一般俗众都认死理**。他们认为，好的就一定好，坏的就一定坏；最好就是最好，最坏就是最坏。实际上，哪有那么简单？比如在一般俗众看来，当皇帝是最好的。当皇帝多好呀，要什么便有什么，喜欢谁便是谁。其实未必。比方说，时令菜，他就吃不到。也不光是吃不到，是根本就不能让他知道。那个时候，没有温室，没有大棚，也没什么"反季节蔬菜"。如果让他知道了什么好吃，开口就要，你上哪弄去？弄不来要杀头的，也只好瞒着他。这就还不如农民，自家园子里摘点，炒着就吃了。皇帝号称"食前方丈"，其实每天吃的就那么几种，其他菜都是装样子摆排场的。实在吃烦了，说加个菜吧，马上送来一盘炒鸡蛋。再加，也还是这个。因为鸡蛋一年四季都有，厨房里老备着。性生活也一样。说是"三宫六院，七十二妃"，那么多女人，爱谁跟谁。其实晚上到了某个宫里，外面就站着太监，看着沙漏，拿笔在那儿记，皇上今晚跟谁了，几点钟进去的，等等。一到点，小太监就在外面喊：万岁爷，时辰已到，保重龙体！你想多亲热一会儿都不行。这还是日常生活，更不要说还有繁忙政务和宫廷斗争，还要提防这个算计那个。那些政治斗争中的失败者和牺牲品，真是"悔不该生在帝王家"。可见，当皇帝，确实是最尊贵的，最有权力的。但同时，也最不自由，最可怜。

由此可见，我们得多一个心眼，学会反过来想问题。比如大家都说好的，可能其实未必好；都说不好，则可能其实并不坏。因此，在第二章，老子就说——

天下皆知美之为美，斯恶矣；皆知善之为善，斯不善矣。

这段话，也有两种解释。一种解释说，天下都知道了美是美，也就同时都知道了丑是丑；知道了善是善，也就同时都知道了恶是恶。也就是说，美的概念产生之后，丑的概念也产生了；善的概念产生之后，恶的概念也同时产生。另一种解释说，所有人都认为是美，那他就是丑；都认为是善，那他就是恶。前一种解释是认识论，讲"相反相成"；后一种解释是价值论，讲"物极必反"。两种解释，都对都通。

实际上，这两种解释，是有关联的。第一种解释告诉我们，美与丑，善与恶，还有后面紧接着谈到的有与无，难与易，长与短，高与低，前与后，等等，这些**矛盾对立的双方，都是相反相成的**。所谓"相反相成"，说得白一点，可以这样表述：你是你，我是我。我不是你，你不是我。这叫"相反"。但，有你是因为有我，有我是因为有你。你是我的原因，我是你的根据。因此，有你就有我，没你就没我。这叫"相成"，也就是"有无相生，难易相成，长短相形，高下相倾，音声相和，前后相随"。结果是什么呢？首先，我离不开你，你离不开我；其次，我会变成你，你会变成我；最后，我就是你，你就是我。这就像一枚硬币的正反两面。正面是你，反面是我。可是，只要翻个个儿，那就我变成你，你变成我。什么时候翻个儿？走到极致的时候。比方说，天下人都说是美，都说是善。这个时候，就"物极必反"了。这就是第二种解释的来由。

所以，我们不能认死理，以为你永远是你，我永远是我。你和我，是会变的。怎么变？**矛盾对立的双方，都向自己的反面转化**。比方说，正变成邪，善变成恶。这就叫"正复为奇，善复为妖"。这句话，是老子在第五十八章说的。也就在这一章，老子还说了一句脍炙人口的名言——

祸兮福之所倚，福兮祸之所伏。

这就说得更透彻了：**坏事，是好事的靠山；好事，是坏事的窝点。**

好事就萌芽在坏事当中,坏事就潜伏在好事里面。所以,好事会变成坏事,坏事会变成好事。而且,坏到头,就会变好。好到头,就会变坏。如果认为是非成败都一成不变,那就大错特错。

可惜,俗人和庸人,都是喜欢"报喜不报忧",而且"记吃不记打"的。他们总认为大家都说好的,那就一定好,一定值得追求。所以,说一千道一万,他们还是"如享太牢,如春登台"。这就要唱反调,甚至给他们当头一棒。于是,在第十二章,老子告诫世人:别以为五颜六色是好东西,看多了,你眼睛会瞎(五色令人目盲);别以为歌声乐曲是好东西,听多了,你耳朵会聋(五音令人耳聋);别以为美味佳肴是好东西,吃多了,你舌头会麻(五味令人口爽)。还有骑马打猎和奇珍异宝,也不是什么好事情、好玩意。这两个,一个会让你心灵不安,一个会让你行为不轨(驰骋畋猎令人心发狂,难得之货令人行妨),怎么能要? 总之,"天下皆知美之为美,斯恶矣"。大家都朝思暮想、趋之若鹜、垂涎三尺、梦寐以求的,那就一定是坏东西,一定要不得。

大家都想要的不能要,那应该要什么? 都不想要的呗! 有人这样做吗? 有。谁? 江河湖海。你看那江河湖海,处在海拔最低的地方。大家都不想要的,什么泥沙呀,污水呀,它们都来者不拒,承受着天下之不堪。结果呢? 反倒成了"百谷王"(第六十六章)。事实上,江河湖海成为"百谷之王",就因为它们不但卑下、空虚,而且还能"藏污纳垢"嘛!

江河湖海如此,人也一样。因此,在第七十八章,老子说,谁能承受一个国家所有的耻辱,那他就是一国之主(受国之垢,是谓社稷主);谁能承受一个国家所有的祸殃,那他就是世界之王(受国不祥,是为天下王)。哈! 原来所谓"一国之主"和"世界之王",是个"背黑锅"的,是垃圾箱、回收站、污水厂呀!

这就太有意思了,我们不妨继续往下看。

六　境界与追求

　　实际上,就在第七十八章,在说完天子、诸侯必须"受国之垢"、"受国不祥"之后,老子做了一个说明。他紧接着说,这就叫"正言若反"。什么叫"正言若反"? 也就是"正话反说"。有人正话反说吗? 有。谁? 天子、诸侯。天子、诸侯怎么称呼自己? 孤、寡、不穀。诸侯称孤道寡,天子自称不穀。什么意思? 孤,就是"孤独之人";寡,就是"寡德之人";不穀,则是"不善之人"。呵呵,都不是什么好词。所以,老子在第四十二章就说,天底下最不好的称呼(人之所恶),莫过于此了。可是,我们知道的情况,却是这些"恶名",为天子和诸侯独享,是一种最高的"待遇"。别人想用,还没资格。

　　那么,天子、诸侯,为什么要往自己身上"泼污水"呢?

　　也有四种解释,或者四个原因。

　　第一,**以贱为本**。这是老子在第三十九章讲的。老子说,尊贵,是以卑贱为根本(贵以贱为本);崇高,是以卑下为基础的(高以下为基)。所以,天子、诸侯,才用恶名来称呼自己(是以侯王自称孤、寡、不穀)。这倒是很符合老子的思想方法:相反相成,物极必反。相反相成,则尊贵从卑贱中产生。物极必反,则卑贱到极点,就是尊贵到极点;卑下到极点,就是崇高到极点。所以,天子、诸侯,得把"屎盆子"扣在自己头上。

　　第二,**至誉无誉**。这也是老子在第三十九章讲的,不过只有一种版本这么说,据说还是根据《庄子·至乐》改的。其他版本,文字不同。一种叫"致数与无与",一种叫"至誉无誉"。致,就是招致;与,就是给予。按照老子的辩证法,给个不停,等于没给;要个没完,等于没要;反复赞美,等于没赞美。因此,最好的赞美,就是不赞美。就像武则大,干脆给自己立一块"无字碑"。这,大约可以算是"至誉无誉"。

庄子说的"至誉无誉"则不同。它的意思，不是"不赞美"，而是"无需赞美"。因为根本就用不着，也赞美不了。比如天地日月，你怎么赞美？也只能说好大呀！好美呀！好辉煌呀！好明亮呀！等于没说。再说了，天地日月，需要我们赞美吗？不需要。不需要，才是最高的赞美。所以，"至誉无誉"虽未必是《老子》原文，却符合老子的思想。

其实，不但至誉无誉，至毁也无毁。记得鲁迅先生就说过，要诋毁一个人，最好的办法，是躲在人群里，指指点点，欲言又止，然后大摇其头。这样，大家就不知道这个人有多坏。实际上，这个人可能一点都不坏。但"无毁"的杀伤力，却很大。因为如果你把这个人的"罪状"都一条一条数出来，可能就会有人说"这不是事实呀"，或者说"这也没什么呀"，甚至说"我看很好呀"，等等。如果你只是摇着脑袋说"他呀，他呀"，就至少让人起疑。疑心生暗鬼。这个本来真没什么的人，没准从此就"有什么"了。这就是"无"的力量。

第三，**损之而益**。这是老子在第四十二章所讲，全文是"物或损之而益，或益之而损"，也是解释"人之所恶，唯孤、寡、不穀，而王公以为称"的。意思也很清楚：减损就会增加，增加就会减损。减损得多，增加也多；增加得少，减损也少。减损和增加，是成正比的。因此，为了增加，就得减损。为了"加到最多"，就得"减到最少"。是啊，既然"天下皆知美之为美，斯恶矣"，那么，天下皆知其"丑"呢？岂不就是"美"？

这三种解释，原理不同，意思一样。就是说，天子、诸侯为了得到最高的荣誉，最高的尊荣，故意"称孤道寡"，把自己说成是"不善之人"。其实，他是要当"圣上"，而且还要"独享"。否则，怎么不准别人这样自称？难怪赵朴初先生说，尊贵是王侯，偏偏称孤寡，你说这是谦虚还是自夸？这是反面的解释。

正面的解释是第四种，**上德若谷**。这是老子在第四十一章讲的。

谷,就是山谷、峡谷、溪谷。前面说过,这是老子最喜欢、最推崇的。它的特点,一是卑下,二是虚空,三是包容。因此,所谓"上德若谷",就是说,**达到最高道德境界的人,一定谦恭卑下、兼收并蓄、虚怀若谷**。实际上,"虚怀若谷"这个成语,就从这里来。这样看,尊贵是王侯,偏偏称孤寡,其本意就不是"装腔作势",而是"应该像山谷一样放低身段、敞开胸怀"了。因为按照老子的说法,做诸侯,当天子,是要"受国之垢"、"受国不祥"的。不能"受国之垢",就不能做诸侯;不能"受国不祥",就不能当天子。谁能"受国之垢"? 孤家寡人。谁能"受国不祥"? 不善之人。天子、诸侯自称孤、寡、不穀,不是名正言顺吗?

看来,这"黑锅",天子、诸侯是非"背"不可的。不背,就不能"若谷"。这"垃圾箱、回收站、污水厂",他们也非"做"不可。不做,也不能"若谷"。实际上,江河湖海了不起的地方,还不仅仅在卑下和虚空,更在于包容,尤其是能够包容污泥浊水、枯枝败叶,可以鱼龙混杂,泥沙俱下。同样,**最伟大、最崇高的人,也一定能够包容一切,尤其是能够包容"最不能容于天下之人"**。因为世界之大,无奇不有。如果只能包容谦谦君子,不能包容卑鄙小人,那就不叫"包容"了。再说了,君子,还需要包容吗?

我想,这应该是《老子》给我们的一个最重要的启示。但我不主张把这个观点,表述为"包容一切"。如果"包容一切",那么请问,包不包容"不包容"? 我是做不到的,江河也做不到。不信你把江河堵起来,看看会怎么样? 对不起,发洪水了。

看来,老子这个"正言若反",背后可能有大文章。有没有呢? 有。在哪里? 在第四十章,是这样说的——

反者道之动,弱者道之用。

反，有两个意思，一是"相反"，二是"返回"。相反，则相成；相成，则转化；转化，则返回。比方说，"复归于婴儿"（第二十八章）。这就要"唱反调而居弱势"。唱反调，就是道的运动（反者道之动）；居弱势，就是道的运用（弱者道之用）。所以，**人，就应该往低处走，往坏处想**。往低处走，结果是最高；往坏处想，结果是最好。如果还能"受国不祥"，那你就是"天下之王"。这就是老子的基本观点：**最柔弱的最坚强，最卑下的最崇高，最虚空的最实在，最原始的最先进**。这也就是老子的思想方法：**反过来想，反过来说，反过来做，反过来看问题**。总之，反着来，就对；反着来，就行；反着来，就能无往而不胜。

当然，也只有反着来，才能"大"。因为"道"的特点，就是"一大二反"。《老子》第二十五章就说，如果一定给"道"命名，也只能勉勉强强叫它"道"（强字之曰道），或者叫它"大"（强为之名曰大）。因为"道"太伟大了。它是最伟大的婴儿（先天地生），也是最伟大的妈妈（可以为天下母）。所以，它又是最柔弱的。也就是说，**唱反调，就是道的运动；居弱势，就是道的运用；最柔弱，就伟大；反着来，就成功**。

实际上我们去看《老子》一书，其中但凡被称之为"大"的，没有一个不是反着的。比如第四十一章的"明道若昧，进道若退"；"上德若谷，大白若辱"；以及同一章的"大方无隅，大器免成，大音希声，大象无形"；还有第四十五章的"大成若缺"，"大盈若冲"，"大直若屈，大巧若拙，大辩若讷"等等，都是，也都好理解。需要说明的，是"大器免成"。这句话，一般的版本都写作"大器晚成"（现在已经变为成语）。长沙马王堆出土的《帛书老子》乙本，写的却是"大器免成"（甲本残缺）。楼宇烈、高明两位先生，认为应该是"免成"，我也这样认为。因为老子这段话，从头到尾都是在唱反调。比方说，方的特点，是"有隅"，但"大方无隅"。音的特点，是"有声"，但"大音希声"。象的特点，是"有形"，但"大象无形"。器的特点，是"要成"。

照理说,则"大器"就应该"免成"。晚成,就不对了。晚成,也是"成"么! 实际上,按照老子的逻辑和观点,最高级的东西,都不可能是做出来的。你做不出,他也不需要做。黄山是做出来的吗? 泰山是做出来的吗? 黄河是做出来的吗? 长江是做出来的吗? 不是。这就是"大器免成"了。所以,在第六十三章,老子就说"圣人终不为大,故能成其大"。也就是说,你反过来,不做,就能大。这在老子那里,就叫"无为"。而"无为",大约是可以"无不为"的。

这就是老子的境界,也就是老子的追求。

七 真无为,还是假无为

现在,老子的方法,就讲得差不多了。诸位大约已经看出,老子的思想,是很独特的。跟其他思想、其他智慧,区别也很大。如果比较一下,应该挺有意思。

先说《老子》与《周易》。

先秦书,《老子》和《周易》是哲学意味最浓的。共同点,是都讲阴阳变化。但,**《周易》喜欢变,《老子》不喜欢**。《周易》认为,世界永远在变,唯一不变的就是变,只有变是不变的。既然如此,就应该主动适应世界的变化,走在世界变化的前列,至少也要做到"与时俱进"。《老子》呢,也认为世界总在变。好事会变成坏事,坏事也会变成好事;美会变成丑,丑会变成美。不过在他看来,既然反正要变,我又何必变呢? 要知道,"飘风不终朝,骤雨不终日"(《老子》第二十三章),瞎折腾什么呀! 更何况,"反者道之动"。现在变过去,下次还得变回来。总之,《周易》的主张,是"唯变不变,那就去变";《老子》的想法,则是"既然会变,何必去变"。这是《老子》与《周易》的不同。

再说老子与孔子。

老与孔,也不同。**孔子讲中庸,老子唱反调**。孔子的名言,是

"文质彬彬,然后君子"。意思是说,修养与质朴,应该旗鼓相当,一家一半,恰如其分。老子的名言,则是"祸兮福之所倚,福兮祸之所伏"。意思是说,祸当中有福,福当中有祸;祸会变成福,福会变成祸。祸一来,福就来了;福一来,祸就来了。因此,祸不是祸,福不是福。星星不是那个星星,月亮也不是那个月亮。可见,孔子讲的中庸,是"你不吃我,我不吃你",甚至"你让着我,我让着你";老子唱的反调,是"你不是你,我不是我",甚至"你才是我,我才是你"。

所以,**《周易》是变革的哲学,《老子》是不变的哲学。孔子是中庸的哲学,老子是否定的哲学**。这两个,都好讲。

难讲的是庄子与韩非。

表面上看,老子与韩非的区别很明显。**韩非讲矛盾,老子无差别**。韩非的名言,是"冰炭不同器而久,寒暑不兼时而至"(《韩非子·显学》)。一块冰和一块烧红的炭,能够长期放在一起吗?寒冷的冬天和酷热的夏天,能在同一时刻到来吗?不能。韩非还讲,一个人,不能同时卖矛又卖盾。因为"以子之矛攻子之盾"的结果,不是东风压倒西风,便是西风压倒东风,总有一个要倒霉。这就是"矛盾"一词的来历,它的发明人就是韩非。

老子就不这么讲。老子的说法,前面也讲过,是"唯之与阿,相去几何? 善之与恶,相去若何"。是是是,滚滚滚,有区别吗? 没区别。善与恶,美与丑,是与非,有区别吗? 也没有。为什么? 祸当中有福,福当中有祸,它们都是会变的嘛! 这就要讲转化,不能讲斗争。可见,韩非的矛盾论,是"你就是你,我就是我",而且"你压倒我,我压倒你"。老子的辩证法,是"你中有我,我中有你",而且"你变成我,我变成你"。所以,**韩非是斗争的哲学,老子是转化的哲学**。这是老与韩的区别。

不过这里有问题。什么问题? 第一,《周易》在《老子》之前,有区别,不奇怪。孔子是老子的批判对象,不相同,也不奇怪。韩非却是推崇老子的。他甚至可以说是老子思想的"继承人"之一，怎么差别也这么大？第二，老子思想的"继承人"，有两个，一个是庄子，一个是韩非。然而韩非与庄子，却天差地别。我在《先秦诸子百家争鸣》一书中讲过，庄子与韩非，是截然相反的两个极端。庄子认为人性本真，韩非认为人性本恶。所以，庄子追求绝对的自由，韩非主张绝对的专制。庄子希望的，是社会的宽容；韩非强调的，则是国家的管制。如此南辕北辙，怎么都是老子的"学生"呢？

奥秘之一，恐怕就在"无为"。也就是说，老、庄、韩，都讲"无为"。**但庄子是"真无为"，韩非是"假无为"**。庄子这一生，宁愿住在穷街陋巷，缺衣少食，不知"明天的早餐在哪里"，也不肯出来做官。别人请他，他还要讽刺别人。他理想的生活，是在一课硕大的树下睡懒觉，或者在江河湖海自由自在地漂。别人是管他叫牛还是叫马，也不在乎。韩非则不同。他要做谋士，为君主谋，还要设计国家制度。谋不成，就写书，告诉君主们应该这样应该那样，可以说是"既出谋画策，又保驾护航"。韩非，岂能"无为"？

当然，韩非也讲"无为"。但他讲的"无为"，是"君无为，臣有为；人无为，法有为"。君为什么要"无为"？因为"明君无为于上"，则"群臣竦惧乎下"（《韩非子·主道》）。君主无为，是为了让臣子害怕。何况，君主不做事，不等于别人不做。谁做？天下臣工。这叫"事在四方，要在中央；圣人执要，四方来效"（《韩非子·扬权》）。臣工做事，也不是乱做，得依照制度。这就叫"以法治国，举措而已"（《韩非子·有度》）。君主自己，则阴一手，阳一手。法制写在脸上，权术藏在心里。一只袖子里藏大棒，另一只袖子里藏胡萝卜。这，就是"帝王术"了，跟庄子的"逍遥游"完全两码事。

问题是，这跟老子有什么关系呢？

关系就在于，老子的无为，也可能是假无为。

有这个问题吗？有。因为有一句话，我们弄不清老子是怎么说的。什么话？无为而无×为。这句话,有两个版本,一个叫"无为而无不为",一个叫"无为而无以为"。无为而无不为,意思很清楚:啥都不做,啥都做了。这是"假无为"。无为而无以为,意思也清楚:啥都不做,也不想做。这是"真无为"。老子说的,究竟是哪个? 不知道。湖北荆门郭店楚墓出土的《简本老子》,是"无为而无不为"。长沙马王堆汉墓出土的《帛书老子》,是"无为而无以为"。这就有点麻烦了。更麻烦的是,老子这话,两个地方都有,一个在第三十八章,一个在第四十八章。可是,《简本》有第四十八章,没有第三十八章。《帛书》刚好相反,有第三十八章,没有第四十八章。这可就怎么都说不清了。

说不清,就只有猜。我的看法,是两句都有,只不过"无为而无不为"在《第四十八章》,"无为而无以为"在《第三十八章》。也就是说,**真无为,假无为,都是老子的思想**。因为这两句话,也可以统一。啥都不做,也不想做,却啥都做了。不通吗? 也通。

实际上,按照老子的思想方法,任何事物都有正反两面。老子的思想,也应该如此。或者说,**老子的思想,就是一枚硬币。真无为和假无为,是它的两面**。庄子看见了真无为的一面,韩非看到了假无为的一面。更何况,《老子》书中,原本就有"帝王南面之术",还有兵法或兵道。这些内容被韩非接过来,一点都不奇怪。

可惜,韩非的立场,跟老子却是相反的。老子站在弱者一边。他的主张,可以说是"天择物竞,弱者生存"。韩非则站在强者一边。他的主张,可以说是"天择物竞,强者生存"。弱者才喜欢讲转化。因为他受压迫,被挤兑,老在下面,总想咸鱼翻身呀! 至少,也得寻找心理安慰。这就得说,小的好,弱的好,卑下的好。高高在上,盛气凌人,不可一世,都不能长久,迟早会倒霉的。强者则喜欢讲斗争。反正,他有的是力量。你循循善诱也好,拐弯抹角也好,据理力争也好,他只用拳头说话。韩非的方法跟老子不同,也不奇怪。

至于老子与庄子的区别，就不讲了。要讲，也只能说庄子是"真无为"，老子是"假无为"，或者既有"真无为"，又有"假无为"。但这无关紧要。反正，真无为也好，假无为也罢，都对后世产生了影响。老子的本意，就不重要了。陆游诗云："死后是非谁管得，满村听说蔡中郎。"（《小舟游近村舍舟步归》）。思想家的"死后是非"，就更没法管。你想嘛，《周易》和《孙子兵法》都跟企业管理挂钩了，我们又何必那么"学究气"呢？

　　不过，有为与无为的关系，倒是很有意思。排列组合一下，可以得出四个选项：以有为求有为，以无为求有为，以无为求无为，以有为求无为。以有为求有为，是墨子；以无为求有为，是韩非；以无为求无为，是庄子。那么，以有为求无为，又是谁呢？

　　禅宗。

　　禅宗，也是我们这个系列讲座要讲的，只不过是最后一讲。之前，要讲一下魏晋风度。为什么要讲魏晋风度呢？因为魏晋风度与《周易》、老子、庄子，都有关系。而且，从庄子的"以无为求无为"，到禅宗的"以有为求无为"，魏晋风度是一个中间环节。弄清楚了魏晋风度，就更能够理解禅宗了。

魏晋的风度

一 怪异的风度

讲魏晋风度,最深刻、最精彩的,是鲁迅先生的一篇文章,叫《魏晋风度及文章与药及酒之关系》,是先生 1927 年在广州夏期学术演讲会上的演讲。有了这篇演讲,我们再来讲同一话题,是注定吃力不讨好的。所以今天呢,我得讨点巧,就是鲁迅先生说过的,便不讲或者少讲。没说过的呢,可以发挥一下。这一点,请大家多多原谅!

那么,所谓"魏晋风度",是一种什么样的风度呢?

怪异的风度。怎样怪异?不妨举例说明。比方说,大家都知道,在东汉末年,建安时期,曹操掌权那会儿,出现了一批优秀的文学家,号称"建安七子"。其中一位,叫王粲。另外,则有孔融、陈琳、徐幹、阮瑀、应玚、刘桢。建安二十二年的春天,王粲去世了。按照习惯,一个人去世了以后,总要有一个悼念的仪式,要有一个葬礼。王粲的葬礼,曹丕参加了。当然,这个时候的曹丕,还不是太子。曹丕是建安二十二年十月,才成为魏太子的。但在建安二十二年的春天,他的地位已经非常高了,官居"五官中郎将",而且"为丞相副"。何况,他还是曹操的儿子。这样一位"大人物",来到葬礼的现场,按照我们的想象,总该有一个什么悼词啊,讲话啊,等等。但他说什么呢?他说,大家都知道王粲生前,最喜欢的事情就是听驴叫。现在他走了,我们每个人都学一声驴叫,给他送行吧!于是,追悼会上就是一片驴叫。这个事,现在看来真是匪夷所思。哪有一个相当于副总理的官员,去参加一个作家的追悼会,会学驴叫呢?

而且这个学驴叫的事,后来还又发生了一次。当然,这时已经不是东汉末年,是晋了。去世的名人,则叫王济。王济,字武子,是晋武帝司马炎的女婿,最后官至太仆(部长级,九卿之一)。王济去世以后,几乎所有的名人都来悼念他。最后来的一个朋友,叫孙楚,也是名士。孙楚来了以后,先是大哭了一场,大家也都跟着哭。哭完以后,孙楚就跟逝者说:老兄啊,你生前最喜欢听我学驴叫。今天,我就再学一回吧!于是,他又学了一次驴叫。因为他学得非常像,那些来参加追悼会的朋友,便都笑了起来。孙楚说什么呢?孙楚说:唉!武子啊武子,老天爷是怎么回事啊?居然让这帮人活着,让你死了!

大家或许会说:真有这事吗?瞎编的吧?是不是真有,我不知道。要说瞎编,那也是刘义庆。刘义庆是南朝刘宋的临川王,《世说新语》的作者。上面讲的两个故事,就记录在《世说新语》的《伤逝》篇。这本书,记载了东汉末年到刘宋之初近三百年间的人物故事。魏晋风度,是其中最重要的内容。今天讲的,就大多来自这本书,还有刘孝标做的注。刘孝标的《世说新语注》,与裴松之的《三国志注》、郦道元的《水经注》、李善的《文选注》,同为"四大名注",不可不注意的。

再说一个人,刘伶。刘伶也是魏晋风度的代表人物之一。前面说了,王粲是属于"建安七子"的。这时,还要算是汉。刘伶呢,则是"竹林七贤"之一。也是七个人,嵇康、阮籍、山涛、向秀、刘伶、阮咸、王戎。这时,是魏。刘伶这个人,长得不咋的。《晋书·刘伶传》的描述,是"身长六尺,容貌甚陋"。跟诸葛亮的"身长八尺,容貌甚伟"(《三国志·诸葛亮传》),刚好相反。所以,诸葛亮是标准的"帅哥",刘伶则是典型的"丑男"。丑男而为名士,在"以貌取人"的汉末魏晋,并不太多。

刘伶这个人,喜欢喝酒。他的代表作,就叫做《酒德颂》。《晋书·刘伶传》说,他最喜欢做的事,是坐一辆鹿车,车上装着酒,到处乱走,走到哪儿喝到哪儿。这还不算离谱。更离谱的,是他让一个工人，扛把铁锨，跟在后面，道是"死便埋我"。有一次，这位老兄喝醉了酒，跟人家吵起来了。吵着吵着，就要动手。等到对方卷起袖子来的时候，刘伶却说，您那尊贵的拳头，放我这鸡肋骨上，委屈了吧（鸡肋不足以安尊拳）！人家一笑，就不打了。看来，刘伶长得虽然难看，性格倒是可爱。搁在今天，没准有美眉喜欢。

可是他太太受不了。他太太说，你这样喝下去，是不行的，你把酒戒了吧！刘伶说，我这个人，意志比较薄弱。依靠我个人的力量，这个酒可戒不了。要不这样吧，你准备一些酒肉，我来拜神，请神帮我戒了。他老婆说行，就备了些酒肉，供在神龛下面。刘伶就跪下来说：老天爷生了刘伶，酒就是他的性命（天生刘伶，以酒为名）；一次喝一大杯，只有酒能解醉（一饮一斛，五斗解酲）；女人的话，怎么能听（妇人之言，慎莫可听）！又把敬神的酒给喝了。这事《晋书·刘伶传》和《世说新语·任诞》，都有记载。

最离谱的一件事，是他喝醉了酒，会一丝不挂坐在家里。他的朋友责备他，他却说，天地就是我的房屋，房屋就是我的衣服，你们为什么要走进我裤子里来（《世说新语·任诞》）？这也是非常典型的魏晋风度。

第三个例子，讲东晋有一位大将军，叫桓温。桓温很能打仗，也是一个野心家。公元347年，他带领东晋的军队，把盘踞在蜀地的一个小政权叫成汉国的，给灭了。成汉国的皇帝叫李势。桓温灭了成汉以后，就把李势的妹妹纳为小妾。李势的妹妹非常漂亮，桓温也非常宠爱她，把她藏在自己的书房里。这事在当时，也算稀松平常。可惜，桓温的太太却非同一般，是东晋明帝的女儿，叫南康长公主。公主，怎么能够容忍自己的老公包二奶呢？知道以后，勃然大怒，带着自己的婢女，拿着刀就冲进去了，要杀了这小妖精。公主冲进去的时候，李势的妹妹正在梳头。据《世说新语·贤媛》和刘孝标的注，李势妹妹的头发非常长，一直拖到地上。皮肤呢，像玉一样。看见公主冲进来，还是不紧不慢继续梳头。头发梳好，盘起来，这才起身，向公主道了一个万福。然后，"神色闲正"地说了一段"辞甚凄婉"的话。她说，我的国家被你老公灭了，我的家庭也被你们毁了。我根本就没有心思要什么荣华富贵，当什么大将军的二奶！如果公主今天肯开杀戒，那就是成全我了（国破家亡，无心至此，今日若能见杀，乃是本怀）。这下子公主感动了。她把刀往地下一扔，冲过去抱着李势的妹妹说，好孩子，你实在是太漂亮了，你实在是太可爱了，连我看见你都心疼，何况我们家那个老色鬼呢？他哪儿扛得住啊（阿子，我见汝亦怜，何况老奴）！从此，公主对李势的妹妹非常之好。这也是不可思议的事。

还有两件事情，也很搞笑。第一件，是王浑的故事。当时叫王浑的，有两个人。一个是大名士王济的父亲，一个是大名士王戎的父亲。这里讲的，是王济的父亲。王济，前面刚刚讲过，就是晋武帝那个喜欢听朋友学驴叫的女婿，《世说新语》里面有很多他的故事。他爸这故事，在《排调》。说是有一天，王济的父亲王浑，跟他老婆两个坐着，看见他们的儿子王济从院子里走过。王浑就对他老婆说，能生这样一个儿子，这辈子够本了！他老婆说，哼，这也就是嫁给了你。要是嫁给你弟弟王沦，我生个儿子比这还棒！

另一件事，也是生儿子。记载这事的，也是《世说新语·排调》。生儿子的，则是晋元帝司马睿。皇帝生儿子是大事啊！皇家后继有人了嘛！于是晋元帝就大宴群臣，庆祝。朝廷的官员，也都给封赏。这时，有个官员叫殷羡的，就站起来说，陛下诞育皇子，普天同庆，臣等深感喜悦。只不过陛下赏赐这么多，臣等无功受禄，很惭愧啊！晋元帝说，你惭愧什么！朕生儿子的事情，还能有你的功劳？

这就是所谓"魏晋风度"了。挺好玩的，是吧？不过，如果只是好玩，就用不着放在"中国智慧"这个系列里面讲了。实际上，刚才讲的这些故事，这些人，也并不都怪异。真正怪异的，只有一个刘伶。

学驴叫的两个故事,其实可以叫做"洒脱"。生儿子的,可以叫"风趣"。南康长公主,则可以叫"豁达"。当然,怪异的也还有。鲁迅先生讲过一些,后面我也会再讲一些。不过这并不重要。重要的是,这些看似荒诞或者匪夷所思的故事,其实体现了一种价值观,一种崇尚和追求,那就是:**真性情,高智商,美仪容**。

下面就逐一说来。

二 真性情

先讲"真性情",也有几个例子。

第一个,王珣哭谢安。王珣,是王导的孙子。王导,是东晋王朝实际上的创立者。东晋第一个皇帝晋元帝司马睿,就是靠着王导,才登上帝位,坐稳江山的。所以,王导是东晋第一个执政者。王导之后,是前面说过的桓温。桓温之后,就是谢安。谢安也是一个了不得的人物。有句成语,叫"东山再起",讲的就是他。因为他曾经辞官隐居在会稽东山,公元373年才又应召出山,后来担任宰相。谢安东山再起之后,名垂史册的一件事,就是打赢了"淝水之战"。因此,王导的王家,谢安的谢家,要算东晋士族中,最有权势的两个。所谓"旧时王谢堂前燕,飞入寻常百姓家"(刘禹锡《乌衣巷》),说的就是他们。

这样两个东晋最牛的家族,关系当然也非同一般。比如王导的孙子王珣兄弟,便都是谢家的女婿。可是后来,两家因为婚姻问题,闹得不和,翻脸了。但是,谢安去世以后,王珣还是去哭丧。走到谢家门口,看门的就把他挡住了,说我家老爷生前在世的时候,没见过你这客人。王珣把他手一拨,直接走进去,痛哭一场,然后走了。按照当时丧礼的规则,你去哭丧以后,应该还要慰问一下家属。就像我们现在开追悼会,向遗体告别,也是先三鞠躬。鞠躬完了,还要跟站在旁边的家属握个手。但是,王珣却不跟谢安的儿子谢琰握手。这叫什么？这叫"该哭就哭"（事见《世说新语·伤逝》）。

第二个，何充顶王敦。王敦，是王导的叔伯哥哥。这也是个大将军，也是个野心家。王敦的哥哥王含在庐江做郡守，贪污腐败，声名狼藉。王敦要替他哥说话，就故意在一次集会上说，家兄在庐江，老百姓都说很好啊！这时，王敦手下有个叫何充的人却说，我就是庐江人，我听到的情况刚好相反。王敦是什么人？皇帝都要让三分的人。何充是什么人？王敦亲手提拔的人。但是，尽管明明知道会得罪人，何充还是直言不讳。这叫什么？这叫"该顶就顶"（事见《世说新语·方正》）。

第三个，罗友吃桓温。罗友是个诗人。有一天他去找桓温，说有些问题想请教。桓温就请他进来，坐下，谈话，吃饭。吃完饭，罗友就起身告辞。桓温说，你不是有问题吗？怎么不问就走了呢？罗友说，不好意思！是这样，我这辈子没有吃过白羊肉，这才冒昧登门造访。现在我已经吃了，其实没问题问，再见！然后就十分坦然地走了。这叫什么？这叫"该吃就吃"（事见《世说新语·任诞》）。

还有一件事情，挺有名的，牵涉到魏时的两位名士，一个叫嵇康，一个叫钟会。这两个，在当时的名士圈里面，也都是"大哥大"级的人物。嵇康，前面说过了，是"竹林七贤"之一。而且在我看来，还可以算是"竹林七贤"的老大。当然，所谓"竹林七贤"，只是一个松散的朋友圈子，不是什么组织。但嵇康，可以说是他们的灵魂。据《晋书·嵇康传》，此公"身长七尺八寸，美词气，有风仪"。穿着虽然简朴随意（土木形骸，不自藻饰），但看见他的人，都说他"龙章凤姿"，是个极有风度、风采的人物。钟会呢，则是魏朝开国元勋钟繇的小儿子，从小就聪慧过人，饱读诗书。他先后辅佐过司马师、司马昭，是司马家族的心腹。后来司马昭灭蜀汉，他是统兵将领之一。知道了这些情况，我们就会知道，他们两个人的不愉快，是一件多么严重的事情了。

明 陈洪绶 阮修沽酒图

所谓"魏晋风度",看似荒诞或者匪夷所思,其实体现了一种价值观,一种崇尚和追求,那就是:真性情,高智商,美仪容。

——易中天语

钟会和嵇康,怎么会不愉快呢? 大约钟会对嵇康,起初是很仰慕的。不但仰慕,还有些畏惧。《世说新语·文学》说,钟会曾经撰写了一部哲学著作,叫《四本论》,很想让嵇康看看。但是,他又怕嵇康看过以后,提出问题,自己答不上来。所以,他到了嵇康家门口,始终不敢把书从怀里掏出来。犹豫再三,最后咬咬牙,隔着墙,扔了进去,然后掉头就跑(于户外遥掷,便回急走)。这个记载如果可靠,那么,钟会对嵇康,是又敬又畏的。

当然,钟会后来还是去见嵇康了。见嵇康的时候,钟会的地位应该已经非常的高了。据《晋书·嵇康传》、《世说新语·简傲》以及刘孝标的注,当时钟会带了一大帮朋友,前呼后拥,冠盖如云,浩浩荡荡地,就开到了嵇康的家里面。嵇康在干什么? 在打铁。嵇康最喜欢做的一件事情,就是打铁。嵇康家院子里,有一颗大柳树。一旦有了兴致,他就在这树下"锻铁"。不过,嵇康的打铁,恐怕不是为了谋生,因为并不收费。亲朋好友拎只鸡、拎壶酒来,则欣然接受,边吃边聊,坐而论道。所以,嵇康的打铁,在我看来是"玩酷"。这其实也是东汉末年和魏晋时期的一种时尚。当时的社会风尚,是上层社会的人,喜欢穿平民的衣服,做些体力劳动。比如周瑜的"羽扇纶巾"就是。因为按照当时的制度,贵族,有身份的人,应该穿丝绸、戴帽子。平民,则穿布衣、戴头巾。以周瑜的身份而羽扇纶巾,那就像美国总统穿牛仔裤,是玩酷了。同样,刘备的编草鞋,也是。在早年,还可能是因为生活困难。成为豫州牧以后还编草鞋,就是雅事。其实雅与俗,也是可以转化的。有些很俗的事,很可能变得很雅。事实上,按照前面说过的老子的思想方法,大俗即大雅。附庸风雅,反倒俗不可耐。总之,周瑜的戴头巾,刘备的编草鞋,嵇康的打铁,都是雅。

嵇康在那儿打铁,帮他拉风箱的是向秀。向秀也是"竹林七贤"之一,同时又是大学问家,大哲学家,给《庄子》做过注的。钟会来了以后,嵇康"扬槌不辍,傍(旁)若无人",向秀也不理他。钟会就在旁边看着，看了一阵子也没人搭理他，只好走了。这时，嵇康才开口说话。嵇康说，听到什么你来了，看见什么你走了（何所闻而来，何所见而去）？钟会说，听到了听到的我来了，看见了看见的我走了（闻所闻而来，见所见而去）。

这当然很不愉快。那么，嵇康为什么要这样对待钟会呢？人家毕竟是慕名而来，岂能拒人于千里之外？不礼貌吧！

也有三种可能。第一，钟会是司马昭的红人和心腹，嵇康却是向着曹氏的。司马昭之心，路人皆知，嵇康也知。他当然不愿意与司马昭的走狗来往。第二，嵇康是瞧不起权贵的，也不喜欢摆谱。然而钟会来看他的时候，却"乘肥衣轻，宾从如云"。用今天的话说，就是开着靓车，穿着名牌，带了一大群马仔。这在钟会，或许是以示隆重；在嵇康，却认为是故意炫耀。第三，嵇康怀疑钟会是探子，是来替司马昭搜集情报的，所以问他"何所闻而来，何所见而去"。钟会回答"闻所闻而来，见所见而去"，倒也像小人得志的克格勃。

总之，嵇康不待见钟会的真正原因，只有嵇康自己知道，我们是不能确定的了。反正，钟会很生气，后果很严重。回去以后，就向司马昭打小报告，说嵇康这人是"卧龙"，不可久留。司马昭呢，原本也有些讨厌嵇康。因为嵇康一直拒绝到朝中做官，也就是对司马集团持"不合作态度"。不合作也罢了，他还说了很多难听的话，我们后面还要讲到。于是，通过钟会的努力，嵇康被杀了。

嵇康的死，在当时极为轰动。据《晋书·嵇康传》，嵇康判处死刑以后，有三千太学生提出要拜他为师，不被当局批准。临刑时，嵇康"顾视日影"，看看时辰将到，就让人把琴拿来，在刑场演奏了一曲《广陵散》。演奏完毕，嵇康说，《广陵散》成为绝响了！然后从容就刑，时年四十岁。海内士人，无不痛心。

嵇康的这个结局，他自己想到过吗？恐怕是想到过的。因为魏晋是中国历史上一个动乱的时代，一个社会和政治非常黑暗的时代，经常就会有人非正常死亡。当时的很多名人、名士,从孔融开始,祢衡啊,何晏啊,等等,都是被当权者胡乱找个理由,甚至不要理由,就杀掉的。孔融是曹操杀的,祢衡是黄祖杀的,何晏是司马懿杀的。顺便说一句,何晏也是个人物。他是汉灵帝时大将军何进的孙子,曹操的养子兼女婿,也是哲学家,精通老庄哲学,写过《论语集解》。这三个人被杀,主要是政治原因。但他们个性张扬,恐怕也是原因之一。反正,在那个时代,当权者如果看你不顺眼,你就得死。

这样看来,嵇康就多少是因为自己的任性,或者说,为了自己的真性情而死了。**为了真性情,不惜牺牲生命**,这是魏晋风度的一个闪光点。

三　高智商

再说"高智商"。

魏晋,是一个崇尚智慧的时代。在这个时代,智商低的人,是吃不开的。相反,如果智商特高,能言善辩,反应敏捷,就会受到追捧,成为人物,比如殷浩就是。殷浩是东晋的大名士,当过中军将军和扬州刺史,所以又称"殷中军"或者"殷扬州"。此人精通哲学,喜欢《周易》和《老子》,善于玄谈。就连政界老大丞相王导,都很佩服他。《世说新语·文学》说,殷浩还在地方上做小官的时候,有一次从荆州到了京城。王导便为他举行集会,还亲自解下挂在帐带上的麈尾,要跟他讨论玄学问题。麈,读如主,是一种野兽,长得像鹿,但个头比鹿大。它的尾巴,可以用来做拂尘。这种拂尘,就叫"麈尾"。魏晋时期名士玄谈,喜欢拿着这麈尾指点比划。说到激动精彩处,挥洒不停。这种谈话,就叫"麈谈"。

王导解下麈尾,跟殷浩玄谈,自然是"棋逢对手"。旁听的,也都是当时的人物。比如前面说过的"泡小妞"的桓温,还有谢尚、王濛、王述。谢尚,字仁祖,是谢鲲的儿子。谢鲲,也是喜欢《周易》和《老子》的,还精通音乐。谢尚,则从小是个"神童"。《世说新语·文学》说,谢尚八岁时,就参加大人们的讨论会。大人夸他是"一座之颜回",他却说,这里又没有孔子,哪来的颜回?所以,谢尚也是个高智商的。

这一次,王导跟殷浩谈了些什么,不得而知。但桓温的评价,却很有意思。王导跟殷浩,是一直谈到半夜的。桓温他们,也一直听到半夜。第二天早晨,桓温对人说:昨天晚上,听殷、王二位玄谈,真是妙不可言!仁祖(谢尚)听得津津有味,我也时有领悟。回头再看那两个姓王的小官(王濛、王述),光知道眨眼睛,就像两只活母狗。

其实王濛和王述,也不是很差的人。很差,王导就不会喊他俩来了。王述,我们后面再说,这里先说王濛。说王濛,又不能不说刘惔(读如谈)。他们两个,是形影不离的好朋友,也是当时的大名士。《世说新语》里面,有许多他们的故事。评价,也不低。比如大名士孙绰,就对简文帝说,刘惔"清蔚简令",王濛"温润恬和",桓温"高爽迈出",谢尚"清易令达"(《世说新语·品藻》)。难怪王导会把桓温、谢尚、王濛,都喊来旁听了。

可惜,王濛和刘惔,水平、修养、人品,大约都还算不上第一流。所以,如果碰到一流高手、高人,又要去挑战,就会自讨没趣。比如《世说新语·文学》说,当时有一位大佛学家,法号支道林。支道林住在东安寺的时候,王濛曾经去跟他玄谈,总是不得要领。后来有一天,王濛精心准备了几百字,自以为逻辑严密,文采斐然,堪称"名理奇藻"。谁知道支道林却不紧不慢地说,贫僧与先生阔别多年,先生的义理和言辞,怎么一点进步都没有?结果王濛"大惭而退"。

这是王濛自己碰钉子。跟刘惔一起碰钉子,则有两次。一次是在何充那里。何充,前面说过,就是敢于顶撞王敦的那个小官。不过,何充的官,后来越做越大,一直做到宰相。何充做骠骑将军的时候,王濛和刘惔曾经拉了支道林一起去见他。何充却不予理睬,只顾低头看公文。王濛就急了，说我们今天特地约了林公，一起来看将军。将军应该放下俗务，跟我等高谈阔论啊！何充说，我不看公文，诸位岂能存活（《世说新语·政事》）？

另一次碰钉子，是在蔡谟那里。蔡谟，也是个博学之人，后来官也做得很大。可是王濛和刘惔瞧不起他。有一次，他俩跑到蔡谟家去做客。谈着谈着，就开始挑衅。王濛和刘惔问蔡谟：你自己觉得，跟王夷甫比，怎么样？王夷甫就是王衍，"竹林七贤"之一王戎的堂弟。王戎和王衍，都是大名士，官也做得很大。王戎做到司徒，王衍做到太尉。王濛和刘惔要蔡谟拿自己跟王衍比，明摆着就是挑衅。于是蔡谟说，我不如他。王濛和刘惔就得意了，交换一下眼色，又问：什么地方不如他呢？蔡谟不慌不忙地说，他那儿就没有你们这样的客人呀（《世说新语·排调》）！

这就是搬起石头砸自己的脚了。当然，王濛和刘惔挑衅蔡谟，可能另有原因，那就是王导讨厌蔡谟。王导又为什么讨厌蔡谟呢？因为蔡谟老挖苦他。王导这个人，最怕老婆，又最爱泡妞。结果自然很糟糕。有一次，王导的老婆曹夫人带着随从，拎着刀子，到王导藏娇的金屋来算账。王导左手抓车栏，右手抓麈尾，驾着牛车狼狈逃窜。事后，蔡谟跑去跟王导说，朝廷要嘉奖王公了，王公您知道不？王导信以为真，赶忙谦虚了一番。蔡谟又说，奖品不多，也就是短辕的牛车，长柄的麈尾。王导这才知道蔡谟是讽刺他（《世说新语·轻诋》）。

还有一件事情，也让王导不高兴。王导有个宠妾，姓雷，常常干预政事，收受贿赂，蔡谟就管她叫"雷尚书"（《世说新语·惑溺》）。蔡谟这样挖苦王导，王导当然讨厌他。王濛和刘惔，或者为了讨好王导，或者为了替他出气，就去挑衅蔡谟，也有可能。但这纯粹属于瞎猜。因为我们根本就不清楚这几件事情，谁先谁后。再说这也并不重要。在魏晋时期，名士之间的挑战，是常有的事。所以，谁挑战谁，为了什么,都不要紧。要紧的,是提问和回答,有没有智慧,有没有水平,有没有技术含量。像王濛和刘惔这样,就只会落下笑柄。

相反,如果回答巧妙,有智慧,则会传为美谈。比如有人问殷浩:为什么一个人升官之前总会梦见棺材,发财之前总会梦见大便?殷浩说,因为"官本是臭腐","财本是粪土"嘛!这就大受称赞(《世说新语·文学》)。

又比如,东晋庾亮的伯父写了一篇《意赋》,庾亮就去问他:伯父您自己,究竟是有意呢,还是无意?有意,恐赋不能尽;无意,则何必有赋?他伯父的回答也很妙,是"正在有意无意之间"(《世说新语·文学》)。

再比如,有个叫阮脩的人,是不信鬼神的。那些信鬼的就跟他说,我们都见过鬼,戴什么帽子,穿什么衣服,等等。阮脩说,那就不对了。就算人死了会变鬼,难道他那衣服也跟着死了,也变鬼(《世说新语·方正》)?这都是很机智的一些回答。

所以,听魏晋名士谈话,是既有趣,又紧张。《世说新语·文学》说,有一次,谢尚去听殷浩玄谈。听到最后怎么样呢?汗流满面。这时,殷浩就淡然地说,来啊,拿条毛巾,给谢郎擦擦脸吧!前面说过,谢尚其实是个高智商的,而且只比殷浩小三岁,尚且如此。那些低智商的,就恐怕连听的资格都没有。玄谈,已成为魏晋名士的"智力大比拼"。

在这样的一种风气下,就涌现出许多早慧的儿童,比如孔融。孔融十岁的时候,曾不请自到地跑到大名士李膺家去赴宴,自称是世交。李膺就问,你我素不相识,怎么是世交呢?孔融说,怎么不是呢?我家祖先是孔子,你家祖先是老子嘛!于是大家都说,这小孩真是太聪明了!但也有个叫陈韪的人泼冷水,说小时候聪明伶俐,大了倒未必就好(小时了了,大未必佳)。孔融马上说,您老人家小时候一定优秀(《世说新语·言语》)。

还有一个小孩,姓杨,九岁。有一天,他们家来了一位姓孔的客人,家里人用水果招待他。姓孔的客人拿起杨梅,跟小孩开玩笑说,这是你们杨家的果子啊!这个九岁的小孩马上说,没听说过孔雀是你们孔家的鸡(《世说新语·言语》)。

皇帝当中,也有早慧的。《世说新语·夙慧》说,东晋元帝时,有一天,有人从长安来。晋元帝向来人询问洛阳的情况。说着,说着,就潸然泪下。当时,晋明帝司马绍还只有几岁大,正好坐晋元帝的腿上,便问父亲为什么要哭。元帝就把西晋灭亡、王室东渡的事,都跟他说了。然后问他,儿啊,你说是长安远,还是太阳远?明帝说,太阳远。因为有人从长安来,没听说有人从太阳那里来。元帝大为诧异。第二天上朝的时候,就当着群臣的面,把这故事讲了一遍。然后又问明帝:儿啊,长安远还是太阳远?明帝说,长安远。晋元帝的脸色就变了,说你这孩子怎么一天一变?晋明帝说,因为太阳我看得见,长安我看不见。

这个故事,是真是假,我很怀疑。因为所谓"举头见日,不见长安",其实是有政治含义的。在朝廷上说,就更是意味深长。不过,魏晋崇尚智慧,却是事实。事实上,**魏晋,是我们民族历史上智力大开发、智慧大闪光的时代。它在中国思想文化史上的地位,我认为是仅次于春秋战国的。**

四　美仪容

再说"美仪容"。

喜欢漂亮,跟崇尚智慧一样,也是那个时代的风尚。从汉末到魏晋,都如此。我在中央台讲《品三国》,说诸葛亮是帅哥,周瑜、孙策是帅哥,遭到一些人的批评。为什么批评?他认为这是"以貌取人"。讲这些英雄人物,你应该讲他的内心世界啊,英雄业绩啊,民族大义啊,等等。怎么能讲他长得漂亮呢?你这是什么导向?

这些批评我的人,不懂历史。他们不知道,一个时代有一个时代的风尚。我讲历史,首先要尊重史实。你同不同意这种价值观,是另外一回事。但倘若风气如此,你不能避讳。比如西晋有位诗人作家,叫潘岳,可能是当时的头号美男子。还有一位诗人作家,叫左思,则奇丑无比。他们两个的"待遇",就天差地别。《世说新语·容止》说,潘岳年轻的时候,在洛阳,喜欢拿着弹弓出去玩。他一出门,城里的女人,老老少少,全都出来了,手牵着手围着他看。左思见了很羡慕,也拿一个弹弓出来玩,结果所有的女人都冲他吐口水。这事《晋书·潘岳传》有另一个版本,主人公则是潘岳和张载。张载,也是长相"甚丑"。因此,潘岳坐车出去玩,女人们都来送水果;张载坐车出去玩,男孩子都向他扔石头。结果,潘岳空着车子出去,一车水果回来。张载空着车子出去,一车石头回来。

由此可见,那个时代的风尚,就是"以貌取人"。这种风气,曾经弄得曹操很尴尬。我一直认为,曹操不肯称皇帝,形象不好是原因之一。当然,不是全部原因,也不是主要原因,更不是根本原因,但多少起了点作用。因为在那个时代,形象很重要。一个人的长相,甚至可以决定他的成败荣辱。比方说,立储。按照礼法,应该立嫡长子。但袁绍的选择,却是小儿子袁尚。原因就是,袁尚"貌美"(《三国志·袁绍传》)。再比如孙策,帅哥一个。后来受了伤,脸被划破。孙策就说,我的脸都变成这副样子了,还能再建功立业吗(面如此,尚可复建功立事乎)?于是大吼一声,创口破裂而死(《三国志·孙策传》裴松之注引《吴历》)。所以,形象太差的人,要想夺了人家的位子自己当皇帝,是不太容易服众的。

曹操长得不好吗?恐怕是。陈寿的《三国志》,对那些主要人物,不少都有外貌的描述。比如袁绍,是"有姿貌威容";刘备,是"身长七尺五寸,垂手下膝,顾自见其耳";诸葛亮,是"身长八尺,容貌甚伟";刘表,是"长八尺余,姿貌甚伟";孙权,是"形貌奇伟,骨体不恒,有大贵之表";周瑜,是"长壮有姿貌"等等。唯独对于曹操这个一号传主,相貌如何,一个字都没有。要知道,曹操是魏武帝啊!这样重要的一个人物,如果也像袁绍、刘表、诸葛亮、周瑜一样,高大魁梧,一表人才,肯定要大书特书,对不对?为什么不写呢?实在说不出口。可见,曹操的个子一定不高,长得也不咋的。但他是开国皇帝呀!总不能像写刘伶一样,说什么"身长六尺,容貌甚陋"吧?不能这样写,又不能编谎,只好不写。

何况还有旁证材料。《世说新语·容止》第一条,记录了一件事情,很能说明问题。什么事?就是曹操当了魏王之后,有一次匈奴派了一个使节来。曹操觉得自己个子太矮,又不好看(自以形陋),恐怕镇不住那匈奴人(不足雄远国),就让崔琰做替身。崔琰也是当时的名士,人很漂亮,个子也高,说话中气十足,声如洪钟。刘孝标注引《魏志》的说法,是"声姿高畅,眉目疏朗,须长四尺,甚有威重",气质棒极了。于是曹操就把崔琰请出来,穿上魏王的衣服,坐在榻上假扮魏王。榻,当时叫"床"。他自己,则扮成一个卫士,拿了把刀,站在"床头"。接见完毕,曹操就派特工去问匈奴的代表,说今天感觉如何啊?匈奴代表说,魏王(他指的是崔琰)"雅望非常"啊!但是呢,他旁边站的那个"捉刀人",才是真英雄。曹操听说以后,马上派人把匈奴的使节杀了。

这就可以说明两点。第一点,曹操确实形象不佳,连他自己都自惭形秽。第二,长相外貌固然重要,精神气质就更重要。所以匈奴的使节说,床头捉刀人,才是真英雄。

实际上,刘孝标注引《魏氏春秋》,就说曹操"姿貌短小,而神明英发"。这是完全可能的。像曹操这样的人,不管长什么样,都一定是霸气十足,不怒而威,能在自己的周围形成一个强大的气场,让你不知不觉地被他所控制。这,其实也是一种风度。

当然,曹操的风度,严格地说,是"帝王气象"。所谓"魏晋风度"，则主要是"名士派头"。作为魏晋名士，第一还是要漂亮。怎样漂亮？漂亮到什么程度？当时有许多比喻。用得最多的，是"玉"。比如西晋名士卫玠，就被称为"璧人"。据《世说新语·容止》以及刘孝标的注，当时卫玠只要一出门，则"观者如堵墙"。其风头之健，绝不亚于今天的影视明星。看见他的人，都说谁家会有这么漂亮，像璧玉一样的人儿啊！甚至就连他的舅舅，也就是前面说过，被其父亲引以为豪的那个王济，见了卫玠，也说"珠玉在侧，觉我形秽"。可惜，这位"璧人"身体太差，不经看。没看多久，就生病死了。当时的人，便又都说他是被看死的（时人谓看杀卫玠）。魏晋风尚，由此又可见一斑。

被称为或看作"玉人"的，还有好几个。一个是与"竹林七贤"同时的裴楷。此人"有俊容仪"，哪怕衣冠不整，布衣草鞋，蓬头垢面，也好看，大家都管他叫"玉人"。人们甚至说，看见裴楷，就像"玉山上行，光映照人"。还有一个，就是王夷甫，也就是王戎的堂弟王衍。此人的特点，是"容貌整丽，妙于谈玄"。手上时常拿一只白玉柄的麈尾，那玉柄跟他的手简直没有区别。大将军王敦甚至说，王衍如果跟众人在一起，那就像"珠玉在瓦石间"。所以，王濛和刘惔要蔡谟拿自己跟王衍比，确实是不怀好意。另外，魏的夏侯玄，也一个漂亮人物。魏明帝曹叡曾经把他跟毛皇后的弟弟毛曾，都任命为黄门侍郎，坐在一起，结果被称为"蒹葭倚玉树"。蒹葭，就是芦苇。没长穗的叫蒹，刚长出的叫葭。可见，一个人，如果不漂亮，没有风度风采，哪怕是皇亲国戚，也吃不开。

的确，魏晋是一个极其爱美的时代。那个时候的人，不仅爱美，而且"爱憎分明"。对那些不怎么样又缺乏自知之明的，他们毫不客气地讽刺挖苦。对所谓"漂亮人物"，则不吝溢美之词。比如简文帝司马昱，就被誉为"轩轩如朝霞举"；王濛的孙子王恭，则被誉为"濯濯如春月柳"。轩轩，高扬飞举的意思；濯濯，明亮清朗的意思。一个气宇轩昂,有如日边朝霞;一个风姿绰约,有如月下春柳。这可真是漂亮极了。

其实王恭的爷爷王濛,也是个漂亮人物。漂亮得连他自己,也忍不住要自我表扬。他常常拿着一面镜子看自己,怎么都看不够,还叫着父亲的字说,王文开呀王文开,你咋生了这么漂亮的一个儿子呢(王文开那生如馨儿)?这倒不是王濛自作多情,当时的人也夸他,说是此人简直就是神仙(此不复似世中人)。

不过,王濛再漂亮,也比不上杜乂(杜弘治)。蔡谟就讲,你们都说王濛漂亮,那是因为没见过杜弘治。当然,前面说过,蔡谟跟王濛是"冤家",可能会贬低王濛。但杜乂漂亮,则恐怕是事实。因为王羲之就说杜乂"面如凝脂,眼如点漆,此神仙中人"。王羲之是艺术家,眼力应该不错。何况他自己,也是"飘如游云,矫若惊龙",风采极佳的。

应该说,到了王羲之这个份上,所谓"美",就不仅是外形的漂亮,更是气质的高贵了。实际上,所谓"美仪容",原本就包括了内在修养和人格魅力。比如嵇康,就是这样的人物。有人曾经对同为"竹林七贤"的王戎说,嵇康的儿子嵇绍真是"卓卓如野鹤之在鸡群"(鹤立鸡群这个成语就从这里来)。王戎立马便说,那是因为你没见过他爸!

那么,嵇康又是什么样子?他的朋友、同为"竹林七贤"的山涛,曾经有一个描述,叫"嵇叔夜之为人也,岩岩若孤松之独立;其醉也,傀俄若玉山之将崩"。岩岩,就是高大的样子。傀俄,就是倾颓的样子。这就是说,嵇康呀,他平时站在那里,就像一棵孤独的松树;喝醉了酒,则像碧玉堆成的一座山,马上就要"哗"地塌下来。孤松独立,玉山将崩,请大家想想,这是一种怎样的形象(以上均见《世说新语·容止》及注)?

这样的人物品评,在中国历史上也算空前绝后了。事实上,**美仪**

容的魏晋风度,是中国智慧艺术化和人间化的一个里程碑。它的意义,我们后面还要讲到。

五 风采与雅量

以上,就是魏晋时期的三大崇尚。

那么,真性情、高智商、美仪容,这三个,哪个最重要? 真性情。其次,是高智商。再次,是美仪容。也就是说,你没有美仪容,也得有高智商;两个都没有,至少也得有真性情。比如刘伶,就是虽无美仪容,却有真性情。王述,则是虽无高智商,却有真性情。只要有真性情,就能得到好评,得到肯定,受到尊重。

就说王述。

王述,前面提到过,就是参加王导跟殷浩的玄谈,被桓温说成"光知道眨眼睛,就像活母狗"的两人之一。另一个,则是刚刚还讲到的王濛。其实王濛和王述,是两种人。王濛的特点是"美仪容",王述的特点是"真性情"。丞相王导看他是东海太守王承的儿子,就让他做了一个属官,叫"掾"(读如院)。可是,他却不拍王导的马屁。当时,王导是政界老大。开会的时候,王导一发言,大家都点头称是,一片叫好。王述官小,坐在最后面,却毫不客气地批评说,丞相又不是尧、舜,哪能句句都对,事事都好(《世说新语·赏誉》)?

后来,王述被任命为尚书令,这是大官。王述接到任命,马上就职。这时有人劝他,说应该让给谁谁谁。王述问,你看我合格吗? 那人说,怎么不合格? 当然合格了。但是,谦让是美德呀,总要走个过场的。王述就说,既然合格,为什么要让(《世说新语·方正》)?

王述这种直肠子性格,使他在当时就享有"痴名",连他女婿都这么说。王述的女婿叫谢万,是谢安的弟弟。此人说得好听,也是性情中人;说得难听,则是个没脑子的。他带兵打仗,从来不知道抚慰将士。他哥哥谢安就劝他说,你是元帅,应该经常请将领们吃饭,联络感情。谢万就摆了宴席，然后大大咧咧地用如意指着将领们说，诸位都是精壮的好兵。结果将领们恨死了他。如果不是看在谢安的面子上，战败之后，诸将原本是要杀了他的。

谢万这样一个愣头青，做了王述这个直肠子的女婿，就好玩了。王述当扬州刺史的时候，谢万曾冲到刺史的堂上，直截了当对王述说，大家都说您老人家傻，我看您老人家是自己傻，真傻。王述说，是有这种议论，可惜这好名声来得太晚了（以上《世说新语·排调》）。

这就太可爱了。所以简文帝说，王述这人，虽然才华不多，也不要求进步，但就凭他那一点真诚直率，便超过别人许多（《世说新语·赏誉》）。

然而，王述还是很难成为一流人物。为什么呢？缺少风采。他这个人，性急。只要一着急，就顾不上风度了。有一次，他吃煮鸡蛋。先用筷子戳，没戳到，就气得把鸡蛋扔在地上。鸡蛋掉下去，团团转，他又气得用脚踩，又没踩到。最后，他愤怒之极，把鸡蛋捡起来，塞进嘴里，咬碎了再吐出来。这就太没风度了，所以王羲之也笑他，说这就实在没法表扬。

不过，王述虽然性急，却有雅量。有一个人，比他性子还急的，为了一点事情，跑到他那里破口大骂。王述神情端庄地面对墙壁，一动不动，随他骂。过了老半天，没声音了，这才回过头来问手下人，那人走了没有。手下人说走了，这才坐下。所以，当时的人，又都称赞王述虽然性急，却能包容（《世说新语·忿狷》）。

从这里我们就能看出，魏晋风度，其实还要包括**风采和雅量。风采与仪容有关，雅量与性情有关。真性情而有雅量，美仪容而有风采，则是因为智慧**。因为有风采，仪容才真美；有雅量，性情才可贵。但是，长得漂亮，可能徒有其表；性情耿直，又可能难以包容。这就要有智慧。**大智若愚，表现出来就是雅量。智者乐水，表现出来就是风采**。

先说风采。

前面说过,所谓"美仪容",原本就包括了内在修养和人格魅力。只不过,这种修养和魅力,还必须表现为外在风采和风度。或者风流倜傥,或者超凡脱俗,或者飘逸不群,或者玩世不恭。总之,要潇洒,要"酷"。

比如大书法家王羲之,就很酷。《晋书·王羲之传》和《世说新语·雅量》都说,太尉郗鉴想在王导的子侄中挑女婿,王导就让郗鉴的信使到东厢房随便挑。信使看了一圈,回去报告说,王家的小伙子个个出色。听说太尉挑女婿,也都很端庄严肃。只有一位,在东边的坐榻(东床)上袒胸露腹地躺着,满不在乎。郗鉴说,那就选他!此人,便是王导的堂侄王羲之。从此,人们又把女婿称之为"东床"。

又比如王徽之与桓伊的交往,也很酷。王徽之,字子猷,是王羲之的第五个儿子。桓伊,字子野,是王濛和刘惔欣赏的人,跟谢尚的关系也很好。王徽之和桓伊,两个人都互相知道,但不认识。有一天,王徽之出门,已经上船了,正好桓伊坐着车子在岸上走过。有人就告诉王徽之,说车上那人就是桓子野。王徽之就派手下人过去,跟桓伊商量,说"闻君善吹笛,试为我一奏"。这时,桓伊的地位已经很高(已显贵)。但对王徽之,却也闻名已久。于是,桓伊回身下车,坐在胡床(即交椅)上,吹了三曲,然后上车走了。宾主二人,自始至终,一句话都没说(《世说新语·任诞》)。这叫什么呢?这就叫"不俗"呀!

从这里也可以看出,酷,不一定就张扬。不张扬,更酷。《晋书·谢安传》和《世说新语·雅量》都说,谢安隐居东山的时候,跟孙绰、王羲之等一帮朋友出海去玩。船行海上,风起浪涌,孙绰、王羲之等人当时脸色就变了,大叫着要回去。谢安却神情坦然,若无其事。一直等到风浪更大,所有人都坐不住的时候,谢安才不紧不慢地说,这样的话,是不是就回去呢?众人这才安静下来,跟着谢安回去。于是当时的舆论，便认为谢安这个人，真是"足以镇安朝野"。为什么？因为他有气度，有雅量呀！

那就再说雅量。

比如东晋有位叫陆玩的，大约是个资质平平的官员。但后来朝廷的几位栋梁，王导啊，郗鉴啊，庾亮啊，都去世了。选来选去选不出宰相，只好让他当了三公之一的司空。结果大家都议论纷纷，他自己也觉得不是这块料。这时，就有一个人跑到他家里去拜见他，向他要酒喝。酒要到以后，又端起酒杯走到柱子跟前，说柱子啊柱子，我给你敬杯酒吧！咱们现在，可真是国中无人啊！只好让你来当柱石，你可千万别把人家房子给弄塌了呀！这就等于是当面羞辱陆玩了。但是你猜陆玩怎么样？陆玩呵呵一笑，说"戢卿良箴"。戢，读如集，收藏的意思。箴，读如针，规劝的意思。这就是说，你的金玉良言，我牢记心中了（《世说新语·规箴》）。如此雅量，也真可以算作"宰相肚里能撑船"。

陆玩尚且如此，谢安就更是雅量非凡。《晋书·谢安传》和《世说新语·雅量》说，淝水之战时，他的侄子谢玄等人在前方打仗，他自己在后方坐镇指挥。捷报传来的时候，谢安正在下棋。看完捷报，谢安一句话都不说，又把目光慢慢地转向棋局。反倒是那位客人沉不住气，问他前方战况如何。谢安这才淡淡地说，小孩子们大获全胜了（小儿辈大破贼）。

这事也一直是谢安雅量的证据，但这雅量是可疑的。因为这个故事，《世说新语》只说到这儿为止，《晋书》却多了个尾巴。这尾巴说，客人走了以后，谢安立即欣喜若狂地冲回内室。木屐的齿被门槛碰断了，都不知道。所以，《晋书》说"其矫情镇物如此"。看来，记录历史，多一句，少一句，可能就大不一样啊！

其实，就连谢安的清高，也有人怀疑。谢安先前不是一直隐居东山，不肯出来做官的吗？但到后来，还是做了桓温的司马。有一次聚会,说起一味草药,叫"远志",也叫"小草"。桓温就问谢安,同一种东西,为什么会有两个名字?谢安还没回话,旁边一个人却应声答道:隐居深山就叫"远志",出来做官就叫"小草"呗(《世说新语·排调》)!

当然,就算淝水之战那会儿,谢安的"从容淡定"是装的,也无可厚非。因为有这个政治需要。政治家,有时是需要"表演"的。比如,鼓舞士气,安定人心,等等。他出来做官,对东晋王朝也有好处。这些都不去说他。但魏晋名士的所谓"风度",倒确实有真有假。比如"竹林七贤"之一的王戎,就假得很。他天天跟太太两个在灯下算账,看赚了多少。卖李子的时候,还要在核上钻眼,怕别人得了良种(《世说新语·俭啬》)。这又算什么清高?

那么,魏晋名士的风采也好,雅量也好,或者别的什么也好,究竟是真是假呢?

六 真真假假

还是再来看嵇康。

前面说过,嵇康是被司马昭杀掉的。他的被杀,直接原因是得罪了钟会。但是,如果司马昭不讨厌他,钟会也不可能得逞。司马昭为什么讨厌嵇康呢?又与嵇康的朋友山涛有关。山涛,也是"竹林七贤"之一。竹林七贤,嵇康、阮籍、山涛、向秀、刘伶、阮咸、王戎嘛!但是后来,山涛出去做官了。这倒也没什么,因为竹林七贤,个个都做过官,或有官衔。比如嵇康,中散大夫;阮籍,步兵校尉;向秀,黄门侍郎;刘伶,建威参军;阮咸,散骑侍郎。王戎的官就更大,一直做到司徒、尚书令。山涛呢?开始做小官,后来做到尚书吏部郎。问题是,嵇康做官,是为曹魏服务;山涛做官,是为司马效劳。这倒也罢了。可是山涛因为"另有任用",便推荐嵇康接任自己的职务。嵇康就生气了,就写了一篇文章,叫《与山巨源绝交书》,要跟山涛断交。

杨柳青木版年画 竹林七贤图

向往自由，渴望真情，蔑视世俗，服从内心，这就是魏晋风度的价值取向。

———易中天语

绝交就绝交吧，他还要讲道理，讲自己为什么不能出来做官的理由，一共九条。就是这九条理由，把司马昭得罪了。

嵇康的九条理由，是什么呢？七条叫做"必不堪"，就是"我受不了"；两条叫做"甚不可"，就是"你们受不了"。哪七件事情呢？嵇康说，第一件，我喜欢睡懒觉。做官以后要按时起床，我受不了。第二，我喜欢抱着琴散步吟诗，或者出去钓鱼打猎。做官以后，旁边跟着秘书、警卫，我受不了。第三，我这个人不喜欢洗澡，衣服里面有很多小动物，经常要抓挠。上班开会，必须衣冠楚楚，正襟危坐，累了不能躺，痒了不能抓，我受不了。第四，我是不喜欢写信的。让我每天写很多的公文，我受不了。第五，我不喜欢吊丧。做了官就不能不去，我受不了。第六，我不喜欢俗人。做了官，就得天天跟他们打交道，我受不了。第七，我很不耐烦，每天给我那么多工作做，我受不了。

谁都看得出，嵇康这"七条受不了"，一句正经没有。这就等于公开宣布，老子没把你们那破官放在眼里。请大家想想，这岂非故意让当局难堪？不过，更严重的，还是所谓"甚不可"，也就是"你们也受不了我"。哪两条呢？第一，叫做"非汤、武而薄周、孔"。汤就是商汤王，武就是周武王，周就是周公，孔就是孔子。这就是说，我，是反对商汤、周武，看不起周公、孔子的。你们，则是要以商汤、周武为先王，周公、孔子为圣人的。我们理念冲突，你们受不了我。第二，叫做"刚肠疾恶，轻肆直言，遇事便发"。也就是说，我这个人是很耿直的，疾恶如仇的，说话很随便的，遇到什么事情就发飙的。我的政治理念跟你们不一样，还喜欢发飙。你把我弄到你的政府里去，我天天发飙，你们受得了？

当然受不了。还不是以后受不了，现在就受不了。所以，司马昭就把他杀了。

这是嵇康的公开声明。但是我们去看他给儿子写的信，可就完全两样。他写《家诫》的时候，儿子还不到十岁。他怎么教育儿子呢？他说儿啊，以后长大了，做人要小心。如果做一个小公务员，对你的领导，恭恭敬敬就可以了。不要黏黏乎乎（不当极亲密），不要老去见他（不宜数往）。实在要去看领导，也要掌握时间，去得是时候（往当有时）。如果还有别的同事也去，就不能一个人走在最后面（不当独在后），更不能单独留下来（又不当宿）。因为万一第二天，你的同事挨批评了，他就会怀疑是你告的密。喝酒的时候，如果有人讨论问题，争得不可开交，最好马上走掉。因为在场就要表态，表态就得罪人。你站在张三一边，李四要恨你；站在李四一边，张三要恨你。装聋作哑，两边都恨你。还有，吃饭的时候，人家跟你敬酒，你不能直统统地说我不喝，应该端起杯子笑，等等。

哈，写《家诫》的嵇康，很世故啊！跟写《与山巨源绝交书》的嵇康，判若两人嘛！所以鲁迅先生说，嵇康的玩世不恭、放浪形骸，包括他的"非汤、武而薄周、孔"，恐怕是假的。实际上，嵇康也好，阮籍也好，比那些卫道士们更要看重礼教，看重孔孟之道。只不过，汤武周孔、礼教纲常等等，已经被那些阴谋家、野心家、伪君子，变成了谋私的工具。阮籍、嵇康这些"真君子"，就只好宣布自己不要礼教，免得被那些家伙"道德绑架"。

这是有道理的。因为魏晋时期的"孝治天下"，确实虚伪。比如曹操，一面宣布"唯才是举"，不忠不孝也没关系；另一面，又以"不孝"的罪名去杀人。这样一来，孝不孝，岂不就成了他们手里的牌，想怎么打就怎么打？这是嵇康他们受不了的。

其实，礼教的虚伪，至少从东汉就开始了。当时有个"段子"，也就是民谣，叫"举秀才，不识书；举孝廉，父别居"。这话什么意思？得先讲东汉的干部制度。秦汉以后，民国以前，历代王朝的干部选拔制度，前后有三种：察举、荐举、科举。两汉是察举，魏晋是荐举，隋唐以后是科举。举，就是选拔。怎么选拔？隋唐以后靠考试，所以叫"科举"。魏晋靠推荐，所以叫"荐举"。两汉靠考察，所以叫"察举"。考察什么？一个品行，一个才艺。才艺好，就叫"秀才"。品行好，就叫"孝廉"。所谓"举秀才，不识书；举孝廉，父别居"，就是选拔了一个官员，说他才艺好，是秀才，却不识字不读书；选拔了一个官员，说他品行好，是孝廉，却其实不赡养父亲。这，可不就是虚伪？

统治者虚伪，知识界也虚伪。虚伪的表现，就是满口仁义道德，一肚子男盗女娼。所以，伪君子是一定要讲礼教的，也一定是一本正经的。这就弄得真君子毫无办法。真正经是不行的了，它对付不了假正经。真正经，假正经，表面上看都正经，咋知道谁真谁假呢？不正经，也不行。所谓"假正经"，实质上就是"不正经"嘛！跟着他们"假正经"，当然更不行。怎么办呢？嵇康、阮籍、刘伶他们的办法，是"假不正经"。这是对付"假正经"最有力的武器。为什么？因为"假不正经"的背后，是真性情。**假正经一旦遇到真性情，所有的脂粉、面具、铠甲，就统统地落花流水、溃不成军了。**

何况还有高智商和美仪容。这两个，也是消解和清算汉末魏晋之"假正经"的。因为假正经的特点，是装模作样。装什么呢？一装有道德，二装有学问，三装很正派，其实是做正人君子状。怎样做状？正襟危坐，不苟言笑，规行矩步，固守雷池。这就毫无风采可言。有学问怎么装？掉书袋，打官腔，拽，卖弄，钻牛角尖。比方说，一句"学而时习之"，能写二三万字的注释。这也不需要多高的智商，肯花工夫就行。所谓"皓首穷经"，说的就是这些人。最后，是"死读书，读死书，读书死"。这也毫无魅力可言。

读死书和假正经，怎么会成为东汉的风尚呢？两个原因。一个，是汉武帝的"独尊儒术"。一个，是汉王朝的"察举制度"。这两个，又有关联。秦汉以前，读书人的出路，是比较多的。因为读书人虽然是"毛"，只能依附在一张"皮"上，但那时"皮"多呀！秦、齐、楚、赵、魏、韩，都是"皮"。此处不留爷，自有留爷处；处处不留爷，爷去投八路。士人们朝秦暮楚，见异思迁，正常得很。这才有先秦诸子百家争鸣。秦汉以后不行了。"毛"还是那些"毛","皮"却只有一张,就是皇上。你想依附到这张"皮"上,也只有一条路,就是"察举"。结果,要被举为孝廉,就得假正经;想被举为秀才,就得死读书。而且,还得读儒家的书,照儒家的伦理道德去伪装。这就是国家垄断出路、垄断思想的结果。

可是,东汉末年,天下大乱,诸侯割据,军阀混战。思想文化的事,没人管了。曹操又搞"唯才是举",用人不拘一格,察举也没了。这个时候,死读书,没用。假正经,也没用。可不就闲下来了?统治者管不着,读书人闲下来,所谓"异端邪说",也就乘虚而入。一个,"在野党"道家学说大行其道;一个,"洋鬼子"佛教思想风靡一时。儒家的经典,最吃得开的则是《周易》。《周易》、《老子》、佛学,这三个,共同特点是都讲智慧,充满哲理。这就产生了一种比较纯粹的思辨哲学——魏晋玄学。魏晋玄学的哲学精神是很强的,哲学意味也是很浓的,所以我在前面说,魏晋在中国思想文化史上的地位,是仅次于春秋战国的。可惜,魏晋玄学的题目,离我们的生活太远,诸位未必有兴趣,只好不讲。

总之,易、老、庄、玄、佛,是当时的显学,知识界趋之若鹜。于是,**崇尚学问就变成了崇尚智慧**。智慧本身是有魅力的,它会变成风采和风度。因此,时代的偶像,也就从"正人君子"变成了"风流才子"。在真性情面前,假正经已经原形毕露。现在又有了高智商和美仪容,它还能再有藏身之处吗?

当然没有。要玩,也得改头换面了。

七 意义所在

东汉有伪君子,魏晋有假风度。

假风度例子不少,潘岳要算一个。潘岳,字安仁。前面说过,是"美仪容"的代表,女人见了要送水果的。这位老兄,不但人长得漂亮,文章也写得漂亮。代表作之一,叫《闲居赋》。内容,无非是厌倦官场、向往隐逸。但其实,他是个官迷。为了巴结权贵,他曾经跟石崇等人一起,天天守在街头。远远看见官车扬起的尘土,马上磕头,叫"望尘而拜"。这就连他母亲都看不惯,要讽刺他。可惜潘岳听不进去,照样追名逐利,趋炎附势。结果呢? 官没当多大,脑袋掉了,这才后悔当初没跟妈回家吃饭(《晋书·潘岳传》)。所以,后来金代元好问的《论诗诗》,就说"心画心声总失真,文章宁复见为人,高情千古《闲居赋》,争(怎)信安仁拜路尘",也就是口头的宣言并不怎么靠得住。

这也不奇怪。因为虚伪一旦成为习惯,就不会自动退出历史舞台。假,总是会有人做的。假正经没用了,假风度就出来了。因为风采也好,风度也好,都要有外在的表现形式,何况那形式还是风尚? 内涵学不了,样子却可以模仿。比如吃药,比如喝酒,比如说胡话,比如装疯卖傻,比如自命清高。魏晋风度有真有假,原因之一就在这里。

但这不等于魏晋风度就没有价值。没价值,秀什么? 实际上,即便是作秀,背后也有价值观,有价值取向。是什么呢? 也可以说几条。

第一,**向往自由**。比如前面说过的佛学家支道林,养了两只鹤。因为怕鹤飞走,就把它们的羽毛剪了。鹤非常郁闷,非常沮丧,老低下头来看自己的翅膀。支道林也很难过,就叹了一口气说,鹤啊鹤啊,你既然是有远大理想的,怎么能做我们的玩具宠物呢(既有陵霄之姿,何肯为人作耳目近玩)? 就让鹤的羽毛长成,飞走(《世说新语·言语》)。

第二,**渴望真情**。比如桓温攻打成汉国,坐船过三峡的时候,部队里有人在岸上抓了只小猿猴,想养在自己的船上。小猿猴的妈妈,就沿着江岸追赶桓温的部队,一路追一路哭,一路叫自己的孩子。追了一百多里,这只母猿终于跳上了船。跳上船以后,看到自己的孩子,当场就死了。解剖发现,这只母猿的肠子,一寸一寸地断裂。桓温大怒,严厉地处分了抓猿的人(《世说新语·黜免》)。我们知道,桓温是一个野心家。打仗的时候,也很凶的。但就是这样一个人,也有这份柔情和爱心。

第三,**蔑视世俗**。《世说新语·任诞》说,阮氏家族住在同一条街上,但是街北边的富有,街南边的贫穷。当时有个风俗,每年七月七日,要把衣服拿出来晒。北边的富人家,晒出来的都是绫罗绸缎。阮籍的侄子阮咸,也是"竹林七贤"之一,跟阮籍一样,也住在街南边,是贫困户。那他晒什么呢?晒一条犊鼻裤。犊鼻裤是什么东西?是干粗活的时候穿的短裤,也可能是短裙,也可能是短的裙裤。说得再通俗一点,相当于日本人的兜裆布。有人就说了,你怎么晒这个东西呢?阮咸说,那没有办法啊!按照风俗,是要晒衣服的。我又不能免俗,只好晒晒这个了。这其实是蔑视世俗。

第四,**服从内心**。前面我们不是说过王徽之与桓伊的故事吗?还有一个故事,也是王徽之的。王徽之住在山阴的时候,有一天晚上,下大雪。王徽之一觉睡醒,发现雪下得已经很多。环顾四周,白雪映照,天地间一片晶莹剔透。忽然想起一个朋友,叫戴逵字安道,住在剡溪。马上就让家人备船,去看戴逵。船走了一夜,才到了戴逵住的地方。王徽之在门口看了看,就又回去了。人家问他为什么,他说,乘兴而来,兴尽而归,不一定见戴逵呀(《世说新语·任诞》)!可见,他们追求的,是自己内心世界的真实、自由和舒适。

第五,**热爱自然**。魏晋,是中国人发现自然美的时代。因为发现了自然美,所以,他们在品评人物的时候,往往用自然物来做比喻,来形容。比如前面说过的"轩轩如朝霞举"(简文帝),"濯濯如春月柳"(王恭),"岩岩若孤松之独立"(嵇康),还有"朗朗如日月之入怀"(夏侯玄)等(《世说新语·容止》),都是。实际上,魏晋名士品评人物,也品评自然。比如画家顾恺之就说,会稽山川之美,是"千岩竞秀,万壑争流,草木蒙笼其上,若云兴霞蔚"。书法家王献之也说,走在山阴道上,只觉得"山川自相映发,使人应接不暇",而且"秋冬之际,尤难为怀"(《世说新语·言语》)。这是一种发自内心的爱。

那么,魏晋时期,为什么会有这样的价值取向呢?原因之一,就因为政治黑暗,礼教虚伪,前途无望,人生无常。大量的文人墨客、风流名士非正常死亡,谁都不知道自己的前途在哪里,将来在哪里,包括皇亲国戚、凤子龙孙,也包括那些最高级的士族。因为西晋政权建立以后,没过多久就是八王之乱。晋王室的兄弟们自相残杀,确实是"梦里依稀慈母泪,城头变幻大王旗",谁都不知道自己明天是否还活着。

政治黑暗,美就只在自然。礼教虚伪,美就只在天际。前途无望,美就只在当下。人生无常,美就只在今世。《世说新语·任诞》说,有一个叫张瀚的,也就是那个秋风中想起鲈鱼好吃,就弃官不做的张季鹰,酒喝得很厉害,号称"阮籍第二"。有朋友就劝他,说你这样醉生梦死,就不考虑留下什么名声吗?张瀚说:"使我有身后名,不如即时一杯酒!"也就是说,你还是拿杯酒给我,喝死算了,管他身后,哪有身后?

由此可见,魏晋风度是逼出来的。但这"逼出来的风度",却仍然有着重要的意义。什么意义呢?**它是一个转折点,也是一个里程碑。**

我们不妨去看看魏晋风度之前的中国智慧,共同特点是什么呢?有用。法家和兵家不用说,一个政治学,一个军事学,当然要有用。儒家和墨家,都要救世,也得有用。就连哲学意味最浓的《周易》和《老子》,也有用,或被视为有用。只有庄子是个例外。所以,现在那些所谓"总裁国学班",最喜欢讲的,就是《周易》、《老子》、《孙子兵法》,认为学了就能赚钱。讲庄子的,不多。讲魏晋风度的,基本上没有。因为魏晋风度是一点用都没有的。这就是第一个转折：**从有用到没用**。

第二个，**从人格到人情**。中国智慧，有一个重要主题，就是人生哲学。先秦诸子百家争鸣要解决的问题，就"一是治国，二是做人"嘛！不过，法家只讲治国，不讲做人。墨家，也不怎么讲。讲人生的，是儒道两家，但讲法不同，观念也不同。道家当中，老子讲人生智慧，庄子讲人生态度。儒家孔与孟，都讲人格塑造。孔子要做"君子人"，孟子要做"大丈夫"。独尊儒术以后，这就成了主流。结果，是弄出了一堆伪君子和假正经。到了魏晋，儒家思想边缘化，孔孟之道吃不开了。吃得开的，是老庄《周易》、佛教玄学。表现为魏晋风度，就是"内在的智慧，高超的精神，脱俗的言行，漂亮的风貌"（李泽厚《美的历程》）。这就不能再讲人格，得讲人情，也就是内心感受、心灵慰藉、情感交流。所谓向往自由、渴望真情、蔑视世俗、服从内心，就是"讲人情"的表现。从此，中国哲学和中国艺术都越来越走向内心世界和情感世界。比如，从"修齐治平"转向"正心诚意"，从"诗言志"转向"诗缘情"。所以说，这是一个转折。

第三个，**从社会到自然**。先秦诸子，儒道两家，也都讲自然。但他们讲自然，是为了讲道理。比如老子的"天地不仁，以万物为刍狗"（《老子》第五章），意思是说，在客观规律面前，人不要自作多情。这是说真。又比如孔子的"岁寒，然后知松柏之后凋也"（《论语·子罕》），意思是做人要有气节，要有坚持。这是说善。这两种，都是"以天道说人道"，其实是讲社会。魏晋名士讲的自然，却是真自然，纯自然。而且，他们热爱自然，是因为自然美。比如有一位僧侣，叫道壹道人，也称壹公。他从京城回东山，经过吴中，正好下雪。其他人问他路上的感觉。他的回答，是"郊邑正自飘瞥，林岫便已皓然"（《世说新语·言语》）。这实在是很美的意境。可以这么说，道家求真，儒家求善，魏晋求美。

这就非常接近禅宗了,因为禅宗也是热爱自然的。而且,作为中国化的佛教,禅宗有三大特点:天国人间化,佛法内心化,智慧艺术化。这里面,不是有着魏晋风度的影子吗？实际上,**所谓"禅宗",就是印度佛教传入中国以后,吸纳了儒道两家的思想,经过魏晋玄学和魏晋风度的洗礼,产生出来的又一种智慧。它标志着中国智慧已经从早熟走向了成熟,从思想变成了境界**。从这个意义上讲,魏晋风度岂非里程碑？

那就让我们再看看禅宗吧！

禅宗的境界

一　禅宗传说

今天,我们讲禅宗。照例先得弄清楚,什么是禅宗,什么是禅。

禅,是梵文的音译,全称"禅那",意思是"静虑"。它原本是一种修持的方法,就是安安静静地坐在那里思考,所以也叫禅定、坐禅。张中行先生有个非常形象的说法,叫做"用深入思索的办法改造思想"(《禅外说禅》)。这就是禅。

禅宗,则是佛教的一个宗派。佛教下面有很多派别,禅宗是其中的一种。不过,这个派别的产生,严格地说,没有历史,只有传说,甚至是神话。不过,宗教原本"有神"。讲神话,不稀奇。只要不看成信史,姑妄听之,也没关系。

禅宗的诞生,据《五灯会元》卷一说,缘于佛祖释迦牟尼的一次灵山法会。《五灯会元》是禅宗的著作,宋代普济和尚编的。灵山,就是灵鹫山,是佛祖生前说法的地方。因为佛祖传法的方式之一,就是开法会,类似于我们今天这种讲坛吧! 他的说法,他的演讲,也是极其精彩的。精彩到什么程度呢? 我想应该有十二个字:金莲涌地、顽石点头、天花乱坠。当然,这三个典故,都不是说灵山法会的。金莲涌地,是讲释迦牟尼佛出生那一天,一朵一朵金色的莲花从地上冒了出来,捧着他的双脚(《景德传灯录》卷一引《普曜经》)。顽石点头,是讲东晋一位高僧叫道生法师的,入虎丘山讲《涅槃经》。讲到最精彩的时候,山上的石头都点头(释慧皎《高僧传》)。天花乱坠呢,相传梁武帝的时候,有一高僧叫云光法师。他说法的时候,感天动地,天上的花都噼里啪啦往下掉(宋张敦颐《六朝事迹编类》)。都很神啊！

因此我想，当年释迦牟尼佛祖在灵山法会上说法，也一定是金莲涌地、顽石点头、天花乱坠。这时，佛祖就拿起了一朵花，给大家看。这个动作，就叫"拈花示众"。可是，所有人都不明白是什么意思，只有一个弟子笑了。这个弟子，就叫摩诃迦叶（叶读如社）。摩诃，是大的意思，所以也翻译成大迦叶。大迦叶笑了，于是佛祖说——

吾有正法眼藏，涅槃妙心，实相无相，微妙法门，不立文字，教外别传，付嘱摩诃迦叶。

什么意思呢？佛祖传法的常规途径，是召开大法会说法。弟子们把它记录下来，整理出来，就是佛经。所以佛经往往开头就说"如是我闻"，意思为"我是这样听佛祖说的"。但是此刻佛祖说，我开辟另一条传法的途径，不说话，也不做记录。怎么传呢？心心相印，叫做"道体心传"。我拈花示众，你会心一笑，就传了过去，比 Email 快多了。用这种途径来传法，就叫"教外别传"。这个法统，佛祖传给摩诃迦叶了。同时，还指定阿难陀为副。

佛祖把心法传给了摩诃迦叶，这就创立了禅宗这个系统。于是，摩诃迦叶就是西土禅宗的第一祖。第二祖，是阿难陀。这两个人，其实大家都听说过。《西游记》里面有一段，说唐僧师徒四人历尽千辛万苦来到西天，想取得真经。佛祖就让摩诃迦叶和阿难陀，带他们去取。到了经房，摩诃迦叶和阿难陀就索要"好处费"，要到了紫金钵盂，还使坏，给唐僧他们的，全是白纸，一个字没有。这话我们得讲清楚。《西游记》是小说，不是历史。再说了，摩诃迦叶和阿难陀是禅宗的祖师爷。禅宗是"不立文字"的，怎么会给你"有字真经"？佛祖让他俩去发放经书，那才真是"别有用心"。

从摩诃迦叶到阿难陀，再到其他人，这样一路传下来，就传到第二十八代,是菩提达摩。可能有人就会问了,这二十八代怎么传啊?你凭什么说他就是二祖、三祖、四祖?难道你看着我笑了,这就算数了?那我以后见了和尚就笑,行吗?

当然不行。传法,得有凭证,这个佛祖也知道。因此,当年佛祖创立禅宗的时候,也不光是拿了一朵花。事后,还给了摩诃迦叶一件木绵袈裟。请注意,是"木绵",不是"木棉"。为什么叫"木绵"呢?因为先前中国人的服装,主要是两种面料,麻和丝。麻织品叫布,丝织品叫帛。棉制品,没有。中国那时没有棉花,棉花是后来从印度引进的。此前要做棉衣,就用丝绵。丝绵的"绵",要写绞丝旁,不能写成木字旁。木字旁的"棉",是棉花。棉花是草木,所以叫"木绵"。这里的"绵",也不能写成木字旁。木字旁的"木棉"叫英雄树,是另外一种植物。木绵袈裟的"木绵",其实就是棉花。

佛祖给了摩诃迦叶一件袈裟,要他以此为凭,代代相传,一直传到慈氏佛出世为止。这是《景德传灯录》卷一的说法。《旧唐书·神秀传》则说,还有一个化缘用的钵盂。有了这一衣一钵两件东西,就是正宗。"衣钵传人"的典故,就从这儿来。

西土禅宗二十八代衣钵相传,传到菩提达摩,就到了中国。菩提达摩是南天竺人,据说也是个王子,南朝梁武帝的时候来到中国,在广州登陆。上岸以后一路北行,来到现在的南京,当时叫金陵,去见梁武帝,跟他说禅。我们知道,梁武帝是个很信佛的皇帝,生前曾四次舍身同泰寺。也就是四次表示皇帝不要当,要去当和尚,然后就到寺庙去了。国一日不得无君啊!大臣们只好花一大笔钱,去把他赎回来。这梁武帝,其实就是帮佛门集资了。

但是,梁武帝这个信佛的皇帝,是不开窍的,其实没有慧根。他见了菩提达摩,开口就问:朕到处造寺庙,布施,自己舍身同泰寺,请大和尚看看,朕的功德有多少啊?菩提达摩说:你没有功德(《景德传灯录》卷三,亦见《六祖坛经·决疑品》)。这就怪了。梁武帝这么保护佛教,这么赞助佛教,是当时佛教最大的赞助商,为什么没有功德呢?因为在菩提达摩看来,梁武帝这不叫信佛,只能叫求福。他跟佛的关系,就像做买卖。我给你多少钱,你赐我多少福。这种"世间的福报",跟"出世的解脱",岂可同日而语?

这就谈不拢。谈不拢,菩提达摩就走了。走到长江边,摘了一根芦苇,往江上一扔,自己跳上去,过江了。这叫"一苇渡江"。过了长江,到了嵩山,找一个山洞,一动不动,坐了九年。这叫"面壁九年"。据说,小鸟在他的肩膀上,都筑了窝。他自己也双眉落尽,掉下来的眉毛变成了茶树。这样,就产生了轰动效应,因为此前没有这样的人。于是菩提达摩就在中土开创了禅宗,成为中土禅宗的初祖,鼻祖。

中土禅宗的二祖是谁呢?慧可。慧可这人是个知识分子,很有文化,很有修养,对哲学很有研究。据说,他去拜菩提达摩为师,为了表示决心,把一只手臂砍断了(也有人说是强盗砍断的)。菩提达摩不肯收他,他就站在门外面等。当时下着大雪,慧可站在那里一动不动,以至于大雪过了膝盖。菩提达摩看他确实是诚心诚意,就收了他。慧可就对师父说,我的心没法安顿(我心未安),请和尚慈悲,帮我安心。菩提达摩说,那好,把心给我,我帮你安。慧可说,我这个心怎么拿得出来呢?菩提达摩说,好,我已经安好了。于是慧可豁然开朗。临终之前,菩提达摩又把衣钵传给了慧可,还说了十六个字,叫做"内传法印,以契证心;外付袈裟,以定宗旨"(《景德传灯录》卷三)。

中土禅宗的第三祖,叫僧璨。僧璨的事迹不太多。比较特别的,是他的圆寂方式。我们知道,和尚圆寂主要是两种方式。一种叫卧化,就是躺在床上圆寂;一种叫坐化,就是坐着圆寂。僧璨则都不是。《楞伽师资记》说,有一天,僧璨要圆寂了,就把学生们都招来,说你们都认为坐化了不起,见过立化的没有?大家说,没见过。僧璨说,

元 因陀罗 五祖再来图

印度人是最耐烦的，中国人是不耐烦的。中国人从来就认为，一件事差不多就行了。所以，佛教要中国化，就必须简易化。

——易中天语

我立化。于是伸出手来扶着树，眼睛一闭，就圆寂了。

僧璨的法嗣（传人），也就是中土禅宗的第四祖，是道信。道信是十四岁的时候去学佛的。当时僧璨就问他，你来学佛想要怎么样呢？道信说，求解脱。僧璨说，谁捆住你了啊？道信说，没有人捆住我。僧璨说，没人捆你，要什么解脱？道信恍然大悟，就得道了（《景德传灯录》卷三）。这是道信。道信的一个贡献，是在蕲州黄梅的双峰山（在今湖北），建立了禅宗的道场，为五祖传法、六祖立宗创造了条件。

到七十多岁，道信圆寂了。衣钵传给谁？弘忍。弘忍也是个神童。他七岁的时候，在外面玩，遇到了道信。道信一眼看过去，就知道这小孩有慧根，就走过去问他：小孩，你贵姓啊？弘忍说，姓倒是有，但不一般。道信说，那是什么？弘忍说，佛性。佛性的性，当然不是姓氏的姓。弘忍这是利用谐音玩文字游戏，但禅宗就喜欢这一套。于是道信也换一个同音字，性，然后问他：难道你自己没有性吗？弘忍说，性空。道信一听，这个不得了！这是肉身菩萨！就跟弘忍的父母亲商量，把弘忍收做了自己的徒弟（《景德传灯录》卷三）。这就是中土禅宗的第五祖，弘忍。

二　六祖传奇

现在，我们说六祖。

六祖是谁呢？惠能，也有书上写成慧能。两种写法，都对。正如"菩提达摩"，也可以写成"菩提达磨"。惠能原是范阳（今河北涿州）人，俗姓卢。他的父亲因为做官出了问题，被贬到新州（今广东新兴）。三岁的时候，惠能丧父，母亲又带着他从新州迁到了南海（今广东南海），孤儿寡母，艰难度日。每天惠能上山砍一些柴，背到山下街上卖，换一点钱赡养他的母亲。有一天，他在街上卖柴的时候，听见有人在念书，一下子就入迷了，就问是什么书。那人告诉他，是《金刚经》。又问，谁能讲《金刚经》呢？那人就告诉他，湖北蕲州黄梅双峰山的弘忍大法师，讲得最好。惠能就决定要向弘忍学《金刚经》。正好，有一位居士，心地善良，看他学佛心切，赞助他十两银子。惠能用这十两银子把母亲安顿好，然后自己就北上，走了一个月，到蕲州黄梅双峰山去见弘忍。

到了双峰山，弘忍照例问他，你是哪里人，想干什么？惠能回答，弟子是岭南人，只求作佛。弘忍说，岭南人是野蛮人，怎么能学佛？惠能说，人分南北，佛性无南北，岭南人怎么不能做佛？弘忍听了，估计当时心里就咯噔了一下：这人慧根极好，闹不好又是一个肉身菩萨。就说：你这野蛮人，简直是根性太劣！到厨房，舂米去！惠能就在厨房劈柴踏碓，舂了八个月米。头发也没剃，只能算是行者。

八个月以后，有一天，弘忍忽然把弟子们都喊来，要他们每个人都写一则偈。谁写得最对路，就把衣钵传给谁。偈，读如记，原本是佛经中的颂诗、唱词。后来，僧人要表达自己的观点，也用偈的形式。弘忍要弟子们写作的，叫"示法偈"。示法偈有两种，一种是禅师为学人指点迷津，另一种是学人向禅师汇报心得。这次是后一种，有点像现在的博士、硕士、学士毕业，要写学位论文。只不过，弘忍他那里，"博士学位"只有一个。

听了弘忍的宣布，学生们就议论纷纷，都说衣钵传人就一个，我们写它干什么？我们当中，最优秀的就是大师兄神秀嘛！神秀都已经当上教授了。我们地位低得多，学问差得远，哪里写得过他？我们别写，让神秀写。神秀就想，我写不写呢？写吧，不对路怎么办？不写吧，可就没机会了啊！思虑再三，半夜三更，悄悄地在墙上写了一则偈，是这样的——

　　　　身是菩提树，心如明镜台。时时勤拂拭，莫使惹尘埃。

这个偈写出来以后，弘忍大法师一看，就知道还是不靠谱。佛家讲"无"，讲"四大皆空"，你还是菩提树，还是明镜台，还要经常打扫卫生，这不还是"有"吗？但是他没有声张，反倒对众人说，神秀写得不错，大家都来读一读。然后悄悄地把神秀叫到方丈，对他说：你这个偈，还没有真正开悟。你重新写一个，对路了，我就传你衣钵。

神秀回到禅房，苦思冥想，不得要领。但是其他学生们，都已经在唱诵他的偈。惠能在厨房里面舂米，也听到了。正好，寺里来了一位官员，江州别驾张日用。惠能就对他说，张大人，我也有一则偈。但我不认识字，你帮我写在墙上吧！这位张别驾就说，你也写偈？这倒稀奇！惠能就说，张大人啊，话不能这么讲。学佛的人，怎么能瞧不起人呢？接着，惠能说了一句非常有名的话——

下下人有上上智，上上人有没意智。

这话翻译过来，就是"卑贱者最聪明，高贵者最愚蠢"。张日用没话说，只好拿起笔跟惠能说，好好好，我帮你写！不过，你要是得了道，得先度我。惠能就诵偈曰——

菩提本无树，明镜亦非台。本来无一物，何处惹尘埃。

惠能这个偈一出来，弘忍心里一惊：这才是悟到了无上正等正觉啊！但是，一个厨房里面舂米，头发都没有剃过的人，一下子从最底层冒上来当接班人，这个怎么弄？就用鞋把惠能的偈擦掉，说"亦未见性"，要大家再去想。

第二天，弘忍法师悄悄来到厨房，看到惠能腰里绑一块石头在舂米。就问他，你这个米舂好了没有？惠能说，米是早就舂好了，还没有筛。这是双关语。筛字的下面，是老师的师嘛！意思是说，我是行了,但老师那关还没过。弘忍也懂了,就拿起禅杖在他舂米的石碓上,敲了三下,走了。惠能也明白,便在当晚三更,走后门进入方丈。

哈,大家笑了。这不是《西游记》吗?告诉大家,恐怕《西游记》是抄它的,因为这个在前嘛!去了之后,弘忍就跟惠能讲《金刚经》,讲到一半的时候,惠能大悟。弘忍也知道他全明白了,就传给他钵盂和袈裟,指定他为禅宗第六祖,还给他说了"传法偈",也就是禅师指定法嗣时要说的话。然后对惠能说,此处不可久留,我连夜送你过江。

于是师徒二人连夜来到长江边。上船以后,惠能说,和尚请坐,弟子摇橹。弘忍说,应该我度你(合当吾度汝)。度,佛教名词,脱俗、出离生死的意思。比如削发出家,就叫"剃度"。按缘分,弘忍是师父,惠能是徒弟,应该是弘忍来度惠能。当然,这个"度",是没有三点水的,但是跟有三点水的"渡"谐音。弘忍的意思,是佛家讲度人。师父度徒弟,天经地义,因此应该我来摇橹。渡你过江,也就是度你到彼岸了。

惠能怎么说呢?惠能的回答是,"迷时师度,悟了自度"。意思就是,我不明白的时候,老师度我。我现在已经开悟了,我自己度自己。弘忍想,这真是活菩萨!就叹息着说,是这样,是这样啊(如是,如是)!今后,佛法就靠你弘扬了!

辞别恩师,惠能连夜过江,一路南行。然后按照弘忍的吩咐,隐姓埋名,潜伏下来,直到十几年以后才现身。因为这时,受到武则天等人追捧的神秀,地位已经很高,在北方影响也很大。惠能觉得,自己再出来传法,就没有什么危险了。

于是,惠能就到了广州的法性寺。法性寺的主持,叫印宗法师。有一天,他讲《涅槃经》。正好,寺庙里面的幡,就是那个旗子,动起来了。这就有了一个问题:幡是无情物,没有意识的,怎么会动呢?僧人们就争论起来。有人说,风吹幡动。但,风也是无情物,也没有意识,怎么会动呢? 有人说,因缘合和。也有人说,风不动,幡自己动。总之,七嘴八舌,吵成一锅粥。这时,惠能就站起来大声说:什么风动,什么幡动,都是你们心动!

印宗法师听了,大吃一惊。就把惠能请进方丈,说我们早就风闻,五祖的法嗣,到我们岭南来了,恐怕就是你吧? 惠能这才说,不敢。印宗就说,请出示衣钵吧! 惠能就回到自己的房间,把衣钵拿出来。印宗一看,果然是六祖到了,就跪了下来。惠能说,不好意思,头发还没剃呢! 印宗法师就给惠能剃度,然后再拜惠能为师。

于是惠能就在岭南升坛、说法、收徒,创立了禅宗的南宗。从此,禅宗分为南北宗。北宗以神秀为代表,主张渐悟,就是一点一点地修,慢慢修成正果。南宗以惠能为代表,主张顿悟,说白了就是"立地成佛",没有那么麻烦。

那么,最后在中华大地风行的,是哪一宗派呢? 惠能的南宗。以至于后来说到禅宗,基本上就是指南宗。我们后面讲的,也都是禅宗南宗。从这个意义上讲,惠能其实是中土禅宗的初祖。因此,中国所有僧人的著作,只有惠能说法的记录,才叫做经,也就是《六祖坛经》。前面讲的这些故事和传奇,就来自《六祖坛经》。这是佛祖才能享受的待遇。

惠能创立南宗以后,经过诸多弟子一代又一代的努力,禅宗终于风行中华大地。唐宋两代的文人士大夫,包括那些反对佛教的人,都喜欢参禅。比如韩愈,是反佛的。因为反对皇帝迎佛骨,被贬到潮州。但是韩愈到了潮州,却跟禅师来往。也就是说,他反佛不反禅。其实,知识界不但不反禅,还以参禅为时尚。禅宗在知识界,有如当年的魏晋玄学。这就有了一个问题:禅宗为什么能成功呢? 换句话说,禅宗南宗的精髓所在,究竟有哪些呢?

三　人间的佛法

首先，禅宗是人间的佛法。

我们知道，佛教是东汉明帝时期传入中国的。到了魏晋南北朝，就在中华大地上盛行起来。所谓"南朝四百八十寺，多少楼台烟雨中"（杜牧《江南春》），可见当年的盛况。佛教兴盛以后，对中国的传统文化，就构成了一个冲击。中国的传统文化，经历过西方文化的两次大冲击。第一次就是佛教传入中国，第二次则是鸦片战争以后的"西学东渐"。所以，魏晋南北朝隋唐之际的思想文化状态，跟今天是非常相似的。当时，也有一个如何处理两种文化的关系，以及在新形势和新格局下，传统文化如何与时俱进的问题。

最有危机感的是儒家，因为儒学面临着严峻的挑战。众所周知，自从汉武帝定下"罢黜百家，独尊儒术"的基本国策，儒家学说就被钦定为国家意识形态。但是，儒学的这个地位，在魏晋时期就已经摇摇欲坠。我在上一讲说过，那时的主流意识形态，是魏晋玄学。在知识界吃得开的，是老庄哲学。儒家的经典，只剩下一部《周易》，还被玄学化。实际上，是"在野党"道家思想，替代了儒家在当"执政党"。"洋鬼子"佛家思想，也在一旁兴风作浪、推波助澜。到了南北朝，佛家思想更是风靡一时，大有取得"执政地位"之趋势。这样内外夹攻，儒学哪里扛得住？就只能拼命抵抗。抵抗的结果，是当时的某些政权，不得不利用手上的公权力，甚至动用暴力来灭佛，就像阿富汗塔利班做的那样。

于是，佛教就面临着两种选择。一种，是坚持原则，寸步不让，确保"原汁原味"。其结果，恐怕就只能是退出中国。为什么呢？因为"正宗"的佛教，跟中国的传统文化和政治制度，冲突太大了。比方说，**儒家讲君臣父子，佛教讲众生平等**。出家人见了皇帝，头都不磕一个，只是双手合十，道声"阿弥陀佛"。出家以后，父亲的姓都不要了,都姓释。这在儒家看来,简直就是"无君无父",不成体统!何况出家人还不结婚,当然也不生子。不孝有三,断后为大。儿子都不生了,这还了得?传统社会的中国人,有两条最受不了,一个是不准他生儿子,一个是见了皇帝不磕头。仅凭这两条,佛就抗不过儒。

这就只剩下第二种选择,即妥协让步,讨价还价,实现**佛教的中国化**。这其实也没有价钱可讲。因为任何外来文化、外来理念,如果不考虑中国国情,不和中国本土的文化相结合,就不能在中国立足。请大家想想,传入中国的,有多少宗教?伊朗的摩尼教传入过,现在还有吗?犹太教,也传入过,还有多少呢?基督教、伊斯兰教,部分地成功,但都没有佛教的影响大。为什么?佛教中国化了。

佛教要中国化,就得先弄清楚冲突在哪里。在哪里呢?**佛教是天国的哲学,儒学是人间的哲学**。儒家是不讲什么灵魂归宿、彼岸世界那一套的。同样,大多数的中国人,从士大夫到老百姓,真正喜欢的,还是世俗的生活,比如父慈子孝、夫唱妇随、四世同堂、含饴弄孙,谓之"天伦之乐"。他们追求的,也大多是世俗的价值,比如升官发财、荣华富贵、光宗耀祖、封妻荫子。清高一点,也不过"功成身退"或"独善其身",价值仍然在人世。

所以,**佛教要中国化,第一步就要人间化**。

问题是怎么做。禅宗的做法,是"破字当头",先把一些糊涂观念给"拆迁"了。具体地说,就是向信众讲清楚四点:净土无理,佛也是人,读经无用,坐禅无功。

先说**净土无理**。

佛教有一个教义,就是我们这个人世间,是很苦的。这是佛教的根本。我们知道,释迦牟尼原本是净饭国的王太子,照理应该做国王的,为什么要出家呢?据说,就因为有一天他出王城,从王城的四个门出去,在每个门都看到苦。在第一个门,看见产妇,生苦;在第二个门,看见老人,老苦;在第三个门,看见病人,病苦;在第四个门,看见死人,死苦。生老病死,都苦。所以,佛教所谓"四圣谛"(苦、集、灭、道),第一条就是苦。

想想也是。人生,可不就是苦?小孩子,生下来就哭,有谁落地笑呵呵?苦嘛!然后,中考啊,高考啊,毕业啊,求职啊,当"蚁族"、做"房奴"啊!好不容易结了婚,生个孩子,奶粉都买不起,要去挣钱。苦极了!

那应该怎么样呢?应该修行。修出什么结果呢?往生西方净土。为什么?因为东土太苦了!西方世界好,那地方干净。由此,又产生出一个宗派,叫净土宗。净土宗的修行方式,就是不停地念佛,念"阿弥陀佛"。这样,死了以后,就能到西方去。

但是惠能反对。在《六祖坛经·决疑品》,惠能讽刺说——

东方人遭罪,念佛求生西方。西方人遭罪,念佛求生何方?

惠能这一声断喝,当时就把人镇住了。是啊,我们东方人每天念"阿弥陀佛",祈祷自己下辈子投生在西方。那么,西方人遭罪,受苦,他上哪儿去啊?逻辑不通嘛!

其实,不通的是惠能。因为佛教说的西方,不是地球的西边,或者印度。地球西边也是人世,也是"秽土"、"秽国"。佛教所谓"净土",是佛住的地方,又叫"佛国",其实就是"天国"。那儿的人,怎么会遭罪、受苦?但不通归不通,却有用。什么用?否定"天国"。天国被否定,人世就被肯定,这是第一点。

再说**佛也是人**。

佛也是人,这原本是常识。中国人的宗教世界,有四个角色:鬼、神、仙、佛。前两个不是人,后两个都是人。什么是鬼?人死了以后就是鬼。鬼,并不是贬义词。在春秋,祖宗也叫鬼,所以会有"大鬼"、"小鬼"、"新鬼"、"旧鬼"之争。但是,有个别人,死了以后不是鬼,是神。哪些人呢? 尧、舜、禹这些。为什么呢? 因为他对我们民族有大功德。也就是说,活着的时候为我们造福,死了以后就是神。像我这样没有贡献的,死了以后就是鬼。自然界,也有神。比如山神、河神、海神,这是造福人类的。不听话、搞破坏,或者添乱、惹麻烦的,则是妖、魔、精、怪。这些,都不是人。

仙和佛则不一样。仙是肉体飞升,佛是思想觉悟。就是说,你修道,修着修着,突然身体没有了重量,升上天了,就成了仙。不但你升上去了,你家的阿猫阿狗也升上去了,这叫"一人得道,鸡犬升天"。什么吕洞宾啊,铁拐李啊,玉皇大帝啊,都是这样成仙的。成佛,则是因为觉悟。比如释迦牟尼,从他在菩提树下悟得无上正等正觉那一刻起,就成佛了。当然,严格地说,光是觉悟,还不是佛。成佛,要满足三个条件:自觉、觉他、觉行圆满。但不管怎么说,总是在生前,不是在死后。成仙,也一样。成仙成佛,都不必先死。所以,仙字也好,佛字也罢,都是人字旁。佛和仙,都是人。

这其实原本是常识。只不过,求神拜佛的时候,许多人就忘记了。一些没有文化的信众,则根本不知道,以为佛也是神。这就要告诉大家,佛祖活到一定年纪也会死,跟我们没什么两样。这就是禅宗做的工作。问题是,这又有什么意义呢? 意义就在**打破神秘感,回到人世间**。因为既然"天国不存在,佛祖也是人",那么,你要成佛,就只能在人间。

所以,六祖惠能说——

佛法在世间,不离世间觉;离世觅菩提,恰如求兔角。

这话记载在《六祖坛经·般若品》。意思也很清楚:佛法就在人世当中。你要学得佛法,就得到社会生活中去。离开现实寻找佛法,就像在兔子头上找角,那是找不到的。

那么,我们怎样才能在世俗生活中成佛?惠能说,其实也很简单,无非"恩则孝养父母,义则上下相怜,让则尊卑和睦,忍则众恶无喧"。总之,只要你孝敬父母,友爱兄弟,团结同事,凡事忍着让着,则"西方只在目前"(《六祖坛经·决疑品》)。

呵呵,说了半天,还是儒家那一套啊!因此,不少学者认为,禅宗的中国化,其实就是儒学化。或者说,第一步,玄学化;第二步,儒学化。有了这"两化",佛教可不就中国化了?中国化以后,岂不就可以跟儒道两家"三分天下,鼎足而立"了?

行倒是行。只不过,如果按照儒家的忠孝仁义去修行,那么,佛教自己的那一套,读经呀,坐禅呀,修持呀,戒律呀,还有用吗?

四　简易的佛法

禅宗的回答很明确:没用。前面引用的《六祖坛经·决疑品》那则偈,开篇第一句,就是"心平何劳持戒,行直何用修禅"嘛!这就说到了"读经无用"和"坐禅无功"。这两条,跟"净土无理"和"佛也是人",顺理成章,一脉相承。

先说**读经无用**。

讲读经无用,有两个故事。一个,是德山宣鉴的。德山宣鉴,是惠能的六世法孙,唐代晚期人。德山,是他的寺名(德山精舍,又叫古德禅院)。宣鉴,是他的法号。在法号前面加山名、地名、寺名,是当时的风尚。德山宣鉴原本是反对禅宗的。他说,我们出家人,千辛万苦,皓首穷经,尚且不能成佛。禅宗那些家伙,却说什么不读经也能成佛。天底下,哪有这样的道理? 就挑了一担经书,准备去找禅师辩论。没想到,走到半路,就在一个卖烧饼点心的婆子那里,挨了当头一棒。当时,德山宣鉴向那婆子买点心。婆子问他,你挑的是什么书? 德山宣鉴说,是《金刚经》。婆子说,那好,我有一问。答得上来,点心白送;答不上来,找别人买。于是婆子问,《金刚经》上说,过去心不可得，现在心不可得，未来心不可得，请问法师要点哪个心？德山宣鉴瞠目结舌哑口无言。我猜测，这事对德山宣鉴一定有所触动，否则就不会记录下来。你想嘛，一个婆子的问题都回答不了，读那么多经书又有什么用？后来，他到了惠能的五世法孙龙潭崇信那里，一经点拨，便豁然开朗，立马一把火烧掉了所有的经书，再不读经，也不谈经了（《五灯会元》卷七）。

第二个故事，是古灵神赞的。古灵神赞是福州人，唐代高僧。他原本在福州大中寺出家受业。后来，外出游学，在惠能四世法孙百丈怀海那里得到启发，开悟得道。得道以后，古灵神赞就回到大中寺，去看他的启蒙老师，发现老师还在窗下读佛经。古灵神赞就想，老师怎么不开窍呢？就想启发他。但是，跟他讲道理，也讲不清。刚好，有一只蜜蜂正在窗户上，想飞出去。窗户上糊着窗纸，蜜蜂就在那里不停地撞。古灵神赞就说，外面就是广阔的世界。放着敞开的门你不会出去，撞那窗户纸干什么？你这样"钻故纸堆"，要钻到驴年马月啊？接着，古灵神赞诵偈一则云——

空门不肯出，投窗也大痴。百年钻故纸，何日出头时。

结果，他师傅也悟了（《五灯会元》卷四）。

再说坐禅无功。

禅宗有一个非常有名的禅师，叫马祖道一。因为俗姓马，所以被称为"马祖"。至于"道一"，当然就是法号了。马祖道一是南岳怀让的弟子，南岳怀让是六祖惠能的弟子。六祖惠能传法给南岳怀让，南岳怀让传法给马祖道一。所以，南岳怀让是二世，马祖道一是三世。马祖道一又传法给前面说过的百丈怀海，因此百丈怀海就是四世。当然，六祖惠能之后，传法就已经不传袈裟了。法嗣，也不止一个人。六祖圆寂的时候，就说衣钵是祸端，不再传承，你们都是我的传人。

这是非常高明的。大家都是传人,禅宗就弘扬开来,兴盛起来。

但是,马祖道一学佛的时候,开始也是坐禅的。有一天,南岳怀让到禅房,看到一个年轻人在那儿打坐。南岳怀让一看,就知道这人是法器,有慧根,只是还没开窍。他就说,年轻人,你在这里坐禅,究竟图个什么?马祖道一说,图成佛。南岳怀让就找了一块砖头,在墙上磨。马祖道一说,和尚磨砖干什么?南岳怀让说,我打算把它做成一面镜子。马祖道一说,磨砖岂能成镜?南岳怀让说,磨砖不能成镜,坐禅岂能成佛?接着,南岳怀让又说了些道理,马祖道一就顿悟了(《五灯会元》卷三)。

读经无用,坐禅无功,其他那些清规戒律、晨钟晚课,当然也都没有意义。这对于传统佛教,无疑是一个革命。革命的成果之一,则是创立了**简易的佛法**。

简易,也是革命?是的。因为正宗的佛教,很繁琐。印度人,大概是世界上最不怕麻烦的。他们讲任何一个问题,都喜欢掰开了揉碎了,反反复复地证明,分得非常的细。比如"世界",是什么意思?世是时间,界是空间。时间,分为过去、现在、未来,叫"世"。许多寺庙的大殿里,供着三尊佛像,就象征着过去、现在、未来,叫"三世佛"。空间,则分为东、西、南、北、东南、西南、东北、西北、上、下,叫"界"。世界怎样构成?当中是须弥山,周围有七香海、七金山。第七金山的外面,有铁围山围绕的咸海。咸海四周,有四大部洲。这就构成了一个"小世界"。一千个小世界,就构成一个"小千世界"。一千个小千世界,就构成一个"中千世界"。一千个中千世界,就构成一个"大千世界"。因为"大千世界"包括了一千个"小世界",一千个"小千世界",一千个"中千世界",所以又叫"三千大千世界"。我们现在讲的"大千世界"这个词,就从这里来。但恐怕没几个中国人,能够搞这么清楚。也不是搞不清楚,而是根本就懒得搞清楚。有这份耐心,喜欢掰开了揉碎了,反反复复说事的,中国历史上只有一个墨子。不过,墨子可是被怀疑为印度人的。就算不是印度人,他那种方法,也不对中国人的胃口。所以,他的学说,虽然也兴盛一时,却终于销声匿迹。同样,玄奘到西天取来真经,也没能传下去。为什么?太繁琐。

另外,按照正宗的佛教,修行也是很难的。佛教的戒律,比丘(出家后受过具足戒的男性僧人)二十五戒,分为八种,一共是二百五十条。比丘尼(出家后受过具足戒的女性僧人),七种,三百四十八条,号称五百戒。这话说白了,就是你要当个合格的尼姑,得记住三百四十八条不能做。我的妈呀,谁记得住啊!

总之,印度人是最耐烦的,中国人是不耐烦的。中国人从来就认为,一件事情,差不多就行了。所以,**佛教要中国化,就必须简易化**。于是,就产生了两个最简易化的宗派,一个是禅宗,还有一个是净土宗。

净土宗简易吗?简易。简易到什么程度呢?念"阿弥陀佛"就行了。因为净土宗跟禅宗不一样,是相信西方净土的。按照佛教的观点,净土是佛住的地方。佛有无数,净土也无数。但是,影响最大的,是《无量寿经》讲的"阿弥陀佛西方净土",也叫"极乐世界"。净土宗说,这个最靠谱。为什么最靠谱呢?因为阿弥陀佛是接引佛,他是专门接引善男信女上西天的。而且,阿弥陀佛从天国到人间,是不需要签证,还可以往返 N 次的。这就是说,你想幸福吗?你想求来生,想生到西方净土去吗?那就念"阿弥陀佛"。阿弥陀佛听见以后,就把你接走了。但是你要注意,死了以后才能去。为了保证你临终之前,不会忘了念阿弥陀佛,平时就要多练习,拿念珠在那儿念。这个中国人喜欢,因为不麻烦。

其实,中国人最喜欢的,除了阿弥陀佛,还有观音菩萨。观音菩萨好啊!第一,观音菩萨的特点,是大慈大悲;任务,是救苦救难。任何人有苦难,她都救助。任何人有问题,她都帮忙。第二,观音菩萨不但跟阿弥陀佛一样，从天国到人间不需要签证，还有千手千眼，万千化身。这就是说，不管你在哪里，只要喊一声，她都听得见，看得见。而且，不管这时有多少苦难，她都忙得过来，因为她有万千化身嘛！所以，中国人最喜欢观音菩萨。生不出孩子，考不上大学，看不好病，甚至升不了官，发不了财，都求观音。

观音菩萨解决现实问题，阿弥陀佛解决归宿问题，这就是中国人对待宗教的态度。也就是说，中国人的要求，是一要简单二要管用。中国人喜欢《周易》，就因为《周易》既简单又管用。现在，净土宗比《周易》还简单还管用，所以净土宗吃得开。

但是，禅宗比净土宗更简单。净土宗还要念阿弥陀佛，禅宗连佛都不用念。六祖惠能的说法，叫"一念悟时，众生是佛"(《六祖坛经·般若品》)。这就是说，只要你觉悟，你就是佛。觉悟，需要多少时间？一刹那。一刹那是多长？七十五分之一秒。只要七十五分之一秒的时间，就能成佛，还有比这更简单的吗？

这就是禅宗的革命。宣布净土无理，佛也是人，创立"人间佛法"。主张读经无用，坐禅无功，创立"简易佛法"。前者去神秘化，后者去繁琐化。**人间佛法解决了理论问题，简易佛法解决了操作问题**。从此，佛教与中国传统文化不再冲突，因为它已经中国化了。

问题是，这样的佛教，它还是佛教吗？

五　破字当头

的确，禅宗的"身份"，是个问题。因为他们不但主张读经无用，坐禅无功，还"呵佛骂祖"，甚至"杀佛杀祖"。呵佛骂祖的代表人物，就是那个烧经书的德山宣鉴。他怎么骂？道是"这里无祖无佛，达磨是老臊胡，释迦老子是干屎橛，文殊普贤是担屎汉"(《五灯会元》卷七)。这就从佛祖，到菩萨，再到禅宗的祖师爷，全骂完了。

主张"逢佛杀佛，逢祖杀祖，逢罗汉杀罗汉"(《临济录》)的，叫临济义玄。临济是寺名，义玄是法号。他是临济宗的创始人。跟德山宣鉴一样，也是惠能的六世法孙，但不同系统。前面说过，六祖圆寂的时候，不再传衣钵。嗣法弟子，也不再只有一个人。其中，有家有业的，有五位；兴旺发达的，是两个，一个青原行思，一个南岳怀让。青原和南岳，是山名；行思和怀让，是法号。这两个，都是二世。南岳怀让，前面说过。他的弟子，是马祖道一。这是三世。马祖道一传法给百丈怀海，这是四世。百丈怀海传法给黄檗希运，这是五世。临济义玄，是黄檗希运的法嗣，所以是六世。德山宣鉴，则是青原行思这个系统的。青原行思传法给石头希迁，这是三世。石头希迁传法给天皇道悟，这是四世。天皇道悟传法给龙潭崇信，这是五世。德山宣鉴是龙潭崇信的弟子，所以也是六世。惠能这两个不同派系的六世法孙，一个"呵佛骂祖"，一个"杀佛杀祖"，可真够意思的了。

够意思的，还有丹霞天然。丹霞天然是惠能的四世法孙，丹霞是山名，天然是法号。这位老兄，原本是儒生。饱读诗书之后，就去长安参加科举考试。路上，遇到一位禅者（学佛的人）。禅者问他到哪里去，他说去考公务员（选官去）。禅者说，当公务员，哪里比得上当活菩萨（选官何如选佛）？于是，丹霞天然就跑到江西去找马祖道一。一见面，就用手托着额头，意思是要剃度。马祖道一看了又看，知道是个不好惹的，就一球踢到石头希迁那里，说石头希迁才是你的老师。丹霞天然又跑到湖南，跑到石头希迁那里，又用手托着额头。石头希迁不吃他那一套，让他进了炊事班。三年后，有一天，石头希迁让学生们到佛殿前铲除杂草。丹霞天然却打了一盆水，洗了头，在石头希迁面前跪下。石头希迁明白，他是要"铲除"自己头上的"杂草"，就为他剃度。剃完，刚要开口说法，丹霞天然捂住耳朵，掉头就跑，又跑回马祖道一那里。回去以后，不拜老师，直接进入僧房，骑在僧人的脖子上。马祖道一没有办法，只好来看他。看了以后，就说了声"我子天然"。这话说起来，大约原本不过马祖道一的感叹，意思是"你倒天真可爱"。谁知丹霞天然马上翻身下地,跪下来说,谢恩师赐法号。从此,他的法号,就叫"天然"。

前面说过,石头希迁,是青原行思这个系统的,三世。马祖道一,则是南岳怀让这个系统的,也是三世。丹霞天然由石头希迁剃度,马祖道一赐号,等于在两个派系,两个最牛的禅师那里得到了承认,立即就名满天下。青云直上的速度,确实比当公务员快多了。

丹霞天然有了法号以后,又云游四方。有一年,他在洛阳慧林寺。因为天冷,就把木头佛像烧了取暖。院主责问他,他说是要取舍利子。院主说,木头佛像,哪来的舍利子?丹霞天然说,既然没有舍利子,又有什么烧不得?再烧(以上《五灯会元》卷五)。

好嘛,四世法孙"烧佛",六世法孙或者"呵佛",或者"杀佛"。这就是六祖惠能徒子徒孙们干的"好事"! 请大家想想,这还是佛教吗?

对不起,还是。而且依我看,还"更是"。

为什么呢? 因为**禅宗抓住了佛教的根本**。佛教的根本是什么? 两个字:觉悟。请大家想想,什么叫佛? 佛是什么? 佛,就是佛陀,也翻译为"浮屠"、"浮图",是梵文的音译,意思是"觉悟者"、"觉悟的人"。觉悟这个词,就是从佛教来的。当然,前面说过,成佛,要满足三个条件。第一是自觉,自己觉悟。第二是觉他,让别人觉悟。第三是觉行圆满。符合这三个条件,就是佛。三个条件都不符合,是凡夫俗子。菩萨,有前两个,缺第三个。可见,人与佛、菩萨的区别,就在人不觉悟,佛和菩萨觉悟。这样看,**佛,就是觉悟者。佛教,就是"觉悟的宗教"。觉悟,是成佛的关键**。这是第一点。

明白了这一点,也就明白了什么是"佛性"。佛性,原本是佛陀的本性。后来,发展为**成佛的可能性**。按照前面对佛的理解,也可以解释为**觉悟的可能性**。这就有了第二个问题:成佛或者觉悟的可能性(佛性),是个别人才有的呢,还是所有人都有的?

南宋 梁楷 六祖截竹图

禅宗的意义就在打破神秘感，回到人世间。因为既然"天国不存在，佛祖也是人"，那么，你要成佛，就只能在人间。

——易中天语

这个问题,佛教界自己有争议。小乘佛教认为,个别人才有;大乘佛教认为,所有人都有。比如《大涅槃经》的说法,就是"一切众生,悉有佛性"。我们知道,佛教所谓"众生",不光是指人,阿猫阿狗都是,鬼也是,范围很广。这就是说,不但所有人,就连阿猫阿狗、妖魔鬼怪,都有可能成佛。杀人犯、饿死鬼,也有可能。

这话听起来吓人,但有道理。因为释迦牟尼成佛以后,曾经立下一个宏愿,要"普度众生"。也就是说,他以自己博大的胸怀,伟大的胸襟,要让我们所有这些受苦受难的人,也包括所有受苦受难的生命体,都脱离苦海。这个愿望,就叫普度众生,也叫慈航普度。这是佛教所有宗派都承认的。

不过这样一来,佛教就必须回答一个问题:普度众生可能吗?如果不可能,佛祖的宏愿就没有意义。如果可能,那就必须讲清楚为什么。大乘佛教和禅宗的回答,是可能。为什么可能呢?因为**众生皆有佛性**。既然原本就有佛性,当然可以度。既然都有佛性,当然可以普度。既然可以普度,当然都能成佛。可见,承认"一切众生,悉有佛性",是为了肯定佛祖的宏愿。不肯定佛祖的宏愿,是不行的。因此,不承认众生皆有佛性,也是不行的。

这就又有了第三个问题:既然众生原本就有佛性,那么,为什么没有成佛呢?禅宗的回答,是**因为我们迷**。迷,就是众生;悟,就是佛。因此,只要觉悟,众生也是佛。相反,如果迷糊,佛也是众生。这就叫"迷即佛众生,悟即众生佛;愚痴佛众生,智慧众生佛"(敦煌本《六祖坛经·见真佛解脱颂》)。佛与众生,只有"一念之差"——迷,还是悟。

于是又有了第四个问题:佛,为什么就智慧;我们为什么就愚痴?或者说,佛,为什么就觉悟;我们,为什么就迷糊?禅宗的回答,是**因为我们执**。什么叫执?执,就是一根筋,死心眼,不开窍,认死理。比如我讲先秦诸子百家争鸣,每次讲完,都会有人问,请问你今天讲的,哪一家最好呢？这就是典型的执。为什么一定要有最好呢？为什么就不能诸家都有道理，又都有问题呢？他们说，真理只有一个，怎么可能都对？我又只好告诉他，不是都对，是都有道理。因为看问题的立场、方法、角度不同。正所谓"横看成岭侧成峰"，你说是岭对还是峰对？话说到这个份上，他们还是眨着眼睛，摇着脑袋，觉得不可思议。

可见，一般人，多数人，都是很容易执的。**执则迷，迷则不悟**，叫"执迷不悟"。这就要"破执"。怎么破？办法之一是讲道理。比如大乘佛教，就讲三个道理。第一，不要执著于"我"。我，本来是没有的。因为因缘合和，时空点凑一块了，才出来一个"我"。我，是法造就的，叫"我因法生，我无法有"。这是"**破我执**"。这时，大家就会说，啊，原来如此！那就说"法"吧！这就又执著了，又得告诉大家，法也是空的，万法皆空，死咬住"法"干什么？这叫"**破法执**"。可惜，破了法执以后，人们又会执著于"空"，开口闭口都是空啊无啊，又不开窍了！只好又告诉大家，空也是空的，不要死咬着"空"。这就叫"**破空执**"。

到了这一步，就很难了。空也是空，什么意思啊？空也不能说，那我说啥呀？其实答案很简单，**只要不执著，什么都可说**。比如，禅宗的主张，是"不立文字"。但，又是《六祖坛经》，又是《五灯会元》，还有"菩提本无树，明镜亦非台"之类的偈，所有这些，难道都不是文字？事实上，单单"不立文字"这四个字，就是文字。所以，**要紧的不是"不立文字"，而是不执著于文字**。我在武汉大学作家班上课，讲禅宗。讲完以后，有位作家说，我明白了，这门功课考试的时候，我就交一张白卷，不立文字嘛，对不对？我说，可以啊，没有问题。只不过，等你要成绩的时候，我就笑一下。他听了也笑，算是明白了。

看来，讲道理，未必管用。你跟他讲不立文字，讲读经无用，坐禅无功，他又会执著于不读经，不坐禅，不立文字。这同样是执。破字当头,真是谈何容易!

那么,又该如之何呢?

六 自由之路

也只有一个办法:动用非常手段。

禅宗的非常手段,有很多,比如"**棒喝**"。棒,就是打;喝,就是吼。代表人物,则是前面说过的临济义玄和德山宣鉴,号称"临济喝,德山棒"。其实,这两种手段,他们两个都用。其他人,也用,或者用类似的方法。比如水潦和尚,是马祖道一(三世)的弟子。第一次见面,就问了一个重要问题:菩提达摩祖师爷从西边来,是什么用意?马祖道一说,你先礼拜!水潦和尚刚刚躬身,马祖就飞起一脚,当胸把他踢倒。于是水潦大悟,一骨碌爬起来,呵呵大笑而去。事隔多年,水潦和尚提起这事,还乐不可支,道是"自从一吃马师踏,直至如今笑不休"(《五灯会元》卷三)。看来,这是个喜欢挨打的。

当然,禅宗的手段,也并非只有"棒喝"。文不对题,答非所问,也是方式之一。只不过,这种方式,要叫"机锋"。比较突出的,赵州从谂(读如审)要算一个。赵州,是地名;从谂,是法号。他是南泉普愿的法嗣。南泉普愿,则是马祖道一的法嗣。马祖道一的接班人,有前面说过的百丈怀海,也有现在说的南泉普愿。他们两个,都是四世。百丈怀海的法嗣,有临济义玄的老师黄檗希运(檗读如波去声)。南泉普愿的法嗣,则有赵州从谂等人。所以,赵州从谂和黄檗希运,都是五世,还打过交道。据说,赵州从谂曾经去见黄檗希运。黄檗希运见他来了,就紧闭方丈门。赵州见他关门,就在法堂内高举火把,大叫救火。黄檗只好开门,一把抓住他,大叫了两声"道"。于是,赵州说了句"贼过后张弓",就走了。

不过,黄檗希运和赵州从谂,风格不同。黄檗喜欢打人,赵州喜欢胡说。比如有人问前面那个问题——"如何是祖师西来意",黄檗的回答是谁问打谁,赵州却回答说"庭前柏树子"。所以,黄檗和赵州,是一武一文,但同样都莫名其妙,让人丈二和尚摸不着头脑。比如,因为赵州从谂喜欢讲"柏树子",便有人问他,柏树子也有佛性吗?赵州说有。那人又问,什么时候成佛?赵州说,等到虚空落地时。那人再问,虚空什么时候落地?赵州说,等到柏树子成佛时(以上《五灯会元》卷四)。这种回答,其实等于不回答。

这就奇怪。禅宗,为什么要这样呢?

其实,棒与喝,还有胡说八道,跟呵佛骂祖一样。目的,都是为了**直截了当地破执**。请大家想想,众生为什么执?无非认死理。为什么认死理呢?又因为一般人心目中,总会有某种神圣的东西,或者不能没有的东西。在他们看来,这种神圣的东西,一定代表着永恒而普遍的真理。这样的"理",岂能不认,又岂能不"死认"?不能没有的东西,比如"我自己",就更得"死认"。死认,就执著了。为了破执,就只能把这些东西也都予以破除。

那么,对于佛教徒来说,最神圣的是什么?一是佛,二是祖,三是经书。所以,要先拿这三个开刀。擒贼先擒王,树倒猢狲散。最神圣的三个,都可以不当回事,还有什么可执著的呢?什么都没有了。包括不能没有的"我自己",也没有了。

否定自己,也有故事。故事,是兴善惟宽的。兴善惟宽,跟前面说过的百丈怀海、南泉普愿一样,也是马祖道一的法嗣。兴善,是寺名;惟宽,是法号。《五灯会元》卷三说,有人问兴善惟宽,狗也有佛性吗?惟宽说,有。那人又问,和尚你有吗?惟宽说,我没有。那人说,一切众生,都有佛性,为什么你就偏偏没有?惟宽说,我不是一切众生。那人便问,既然不是众生,莫非是佛?惟宽说,我不是佛。那人又问,既不是佛,也不是众生,那你是什么东西?惟宽说,也不是东西。

话说到这个份上,就把什么都否定了。那又怎么样呢?**什么都**

否定了，就什么都不必否定了。吃饭睡觉可以有，娶妻生子可以有，建功立业可以有，升官发财可以有。甚至就连偷鸡摸狗、杀人放火，也可以有。为什么这个也可以有？因为禅宗的主张，是众生皆有佛性，人人皆可成佛。那么，坏人有没有佛性？坏人能不能成佛？这个问题，原先是有争议的。后来，大家的意见趋向于统一，认为必须承认坏人也有佛性，也能成佛。否则，普度众生，仍然会有问题。有问题，也不是说不能兑现。事实上，众生得到普度，至今仍未实现。那又有什么问题？理论上有问题。既然众生皆有佛性，人人皆可成佛，坏人怎么就没有，就不能？讲不通嘛！当然，禅宗决不主张和鼓励做坏事。他只是说，做了坏事也不要紧，能够觉悟就好。觉悟了，佛性就显现出来了。所以，你受苦受难，没关系。罪孽深重，也没关系。只要觉悟，就能解脱。这就叫"苦海无边，回头是岸"，也叫"放下屠刀，立地成佛"。

这样一来，事情就好办了。怎么好办？该干吗，还干吗呗！而且，按照禅宗的观念，佛法就在人间，悟道当然也就在世俗之中。所以，禅师绝不会传授什么"独门绝技"，也不会给你什么"灵丹妙药"，他只会让你到生活中去。《五灯会元》卷四说，有一个僧人到赵州从谂那里求学，说弟子初入禅林，请大和尚慈悲，指点迷津。赵州说，喝粥了吗？这个和尚说，喝了。赵州说，洗碗去。这个人忽然就觉悟了。

还有一次，寺院里面新来了一些学生。赵州和尚去看他们，问当中一个说，你以前到过我们寺院吗？这个学生说，弟子来过。赵州和尚说，好，吃茶去。又问另一个，这个学生说，弟子没有来过。赵州和尚说，好，吃茶去。这下子，寺院的院主就看不懂了，就问赵州：大和尚，这一个是来过的，你让他吃茶去。那一个是没来过的，怎么也让他吃茶去？赵州和尚大声说，院主！院主说，在！赵州说，吃茶去！

哈！原来学佛参禅、修行悟道，就是吃饭睡觉、洗碗吃茶。难怪禅宗是人间的佛法,简易的佛法,是"**以有为求无为**"。问题是,一样吃饭睡觉,佛与众生,又有什么区别?

这个问题,有人问过。问谁?大珠慧海。大珠慧海,跟前面说过的百丈怀海、南泉普愿、兴善惟宽一样,也是马祖道一的法嗣。《五灯会元》卷三说,有一天,大珠慧海那里,来了个"律师"。当然,这里说的,不是今天帮人打官司的那个。佛家所谓"律师",是指善于背诵讲解经书戒律的僧人。讲律的,是"律师";参禅的,是"禅师"。道不同,原本不相为谋。但那个律师,要来刁难大珠慧海这个禅师,就问:你们禅师,也用功吗?大珠慧海说,用功呀!那律师又问,怎样用功?大珠慧海说,饿了就吃,困了就睡。律师就说,但凡是人,无不如此。他们跟和尚的用功,又有什么不同?大珠慧海说,那些人呀,他们"吃饭时不肯吃饭,百种须索;睡时不肯睡,千般计较"。一句话,他们想不开!想不开,则吃饭不是吃饭,睡觉不是睡觉;想得开,则吃饭是吃饭,睡觉是睡觉。这就是佛与众生的区别。

现在大家明白了吧?什么是"迷"?**迷就是想不开**。什么是"悟"?**悟就是想得开**。佛与众生,可不就只有"一念之差"?既然只有"一念之差",那么,甭管什么人,甭管他干什么,也甭管什么时候,岂非都可以成佛?

当然可以。禅宗的公案中,处处有这样的故事。什么叫"**公案**"?公案和机锋,是有关系的。前面说过,禅师为了让学人开悟,往往要使用非常的手段。这些非常手段,就叫"机锋",意思是抓住某个机缘,利用某种机会,在适当的时机,给学人锋利的一刺。手段,主要是语言。广义地说,棒喝、不说话、打哑谜,也算。因为用语言,目的也是破执,跟"当头棒喝"没有区别。这样的案例,就叫"公案"。前面说的许多故事,就是公案。

公案,是前辈禅师创造出来,可以给后辈禅师做参考的。所以,禅师不读经书,却读公案。比如龙门清远,就是读公案开悟的。龙门清远,是北宋禅师,龙门是寺名,清远是法号。《五灯会元》卷十九说,在一个寒冷的冬夜,清远独自一人坐在炉前。他有一搭没一搭地用木棍拨弄着炉灰,忽然看见炉灰深处,有一火如豆,便觉得若有所悟。于是急忙翻阅《传灯录》。读到其中的一个公案,恍然大悟,从此成为"得道高僧"。

其实,就在拨灰见火那一刻,清远便已经悟了。因为他说了一句非常有意思的话——

深深拨,有些子;平生事,只如此。

是啊,参禅、悟道、成佛,乃至整个人生,也都不过如此。只要你"深深拨"(破执),就总会"有些子"(觉悟)。所以,**处处可以悟道,事事可以修行,时时可以成佛**。哪怕当时,你只是在拨弄炉灰。

这,就是禅宗为众生开辟的成佛之路。无疑,这是一条自由之路。

七　只许佳人独自知

的确,觉悟是成佛的关键,也是禅宗的底线。

禅宗有一个非常有名的故事,叫"野狐禅"。这故事说,马祖道一的法嗣百丈怀海讲课的时候,总有一位老人随堂来听。有一天下课,学生们都走了,他不走。百丈怀海就问,你到底是什么人?老人说,我不是人。五百年前,我也是和尚。只因为一句话没答对,结果投胎变成了野狐狸。因此,恳请大和尚慈悲,告诉我应该怎样回答,以便我重新做人。

这个麻烦大了。一句话不对,和尚就会变成狐狸,到底是什么话呀?原来,这个人五百年前做和尚的时候,有一个学生问他,有大修行的人,还会落入因果报应、六道轮回吗?这人想,我们佛家修行,不就是要脱离因果报应、六道轮回吗？有大修行的人，当然不会再落入。于是就老老实实回答，说"不落因果"。好嘛，他自己变成野狐狸了。

听完老人的陈述，百丈怀海就说，那你再问我一次。老人就问，有大修行的人，还会落入因果报应、六道轮回吗？话音刚落，百丈怀海就应声答道："不昧因果。"老人恍然大悟，然后躬身答谢说，我已经脱胎换骨了（《五灯会元》卷三）。

这故事很能说明问题。表面上看，"不落因果"和"不昧因果"，只有一字之差。结果呢，却有天壤之别。因为"不落因果"还是"执"，执着于因果嘛！只有不被因果蒙蔽、束缚（不昧因果），才真正是悟。所以，后人便把并未开悟却妄称开悟的，称为"野狐禅"。

觉悟，岂非很重要？

可惜，觉悟这件事，是说起来容易，做起来难。它需要悟性，需要慧根。否则，就是鸡同鸭讲。《五灯会元》卷三说，有一个人，曾经向前面说过的兴善惟宽请教。他说，请问大和尚，道在哪里？惟宽说，就在眼前。那人说，既然就在眼前，我怎么看不见？惟宽说，因为你有"我"，所以看不见。那人说，我有"我"，所以看不见。那大和尚你，看得见吗？惟宽说，又有你，又有我，更看不见。这个人就觉得自己明白了，便又问，那么，没有我也没有你，就看得见了吧？惟宽法师说，没有你也没有我，谁看啊？

这话意味深长。是啊，"无汝无我，阿谁求见"？我也没了，你也没了，还需要成佛吗？谁成佛啊？事实上，在禅宗看来，**成佛，正是为了每个人自己**。所谓"普度众生"，无非是为了让每个人都脱离苦海嘛！但，每个人都是一个个体，每个人都只有一个人生，每个人的人生也只属于他自己。因此，**成佛，是每个人自己的事**。你不开窍，佛也没有办法。

由此可见，**禅宗所谓"开悟"，其实是"找回自己"**。这样的公案，也有很多，比如寿州良遂开悟的故事就是。寿州良遂，是麻谷宝彻的弟子。麻谷宝彻，跟前面说过的百丈怀海、南泉普愿、兴善惟宽、大珠慧海一样，也是马祖道一的法嗣。《五灯会元》卷四说，寿州良遂求学时，麻谷宝彻不见他，自己扛了把锄头去锄草。良遂跟到地里，麻谷看都不看他一眼，又掉头回方丈，还把门关起来。第二天，良遂又去见麻谷，麻谷又关门。良遂就敲，麻谷就问：是谁？良遂应声答道：良遂！也就在这一刻，良遂突然觉悟了。麻谷也知道他悟了，便对众人说：你们知道的，良遂都知道；你们不知道的，良遂也知道。

这事玄妙。良遂知道什么呀？知道良遂是良遂。知道良遂是良遂，怎么就什么都知道了呢？因为他发现了自我，找回了自我。那又怎么样？就可以成佛了。为什么？因为在禅宗看来，佛就是自我。在《六祖坛经·付嘱品》，惠能说——

我心自有佛，自佛是真佛；自若无佛心，何处求真佛？

这就是麻谷不见良遂的原因。我又不是佛，你找我干什么？佛就在你心中，你自己怎么不去找？相反，当良遂知道良遂是良遂时，他就找到了真佛，获得了最高智慧。所谓"诸人知处，良遂总知；良遂知处，诸人不知"，无非是说，良遂知道的，是最该知道的。那些可知道可不知道的，无所谓。

显然，**成佛的关键在觉悟，觉悟的关键在自我**。问题是，既然如此，兴善惟宽为什么又要说"汝有我故，所以不见"呢？因为禅宗的主张，是"找回自我"，不是"执著于我"。只要能"找回自我"，用什么方式，在什么时候，都无不可。

比如北宋禅师昭觉克勤，就是因为一首艳诗开悟的。昭觉克勤，是前面说过的龙门清远的师兄弟，五祖法演的弟子。五祖，是山名，也就是五祖弘忍住过的双峰山；法演，是法号。《五灯会元》卷十九说，有一天，一位官员前来请教，法演便对他说了两句艳诗，叫"频呼小玉元（原）无事，只要檀郎认得声"。小玉，是丫环的代称；檀郎，是情郎的代称。我在《魏晋的风度》中讲过，西晋有个美男子潘岳。他的小名，就叫"檀奴"。所以，后世的女子，便把自己钟情的男子，叫做"檀郎"，意思是"帅哥"。这诗的意思也很清楚：小姐频繁地呼叫丫环，其实啥事都没有。只不过是想让情郎帅哥哥，听见自己的声音罢了。

法演念完艳诗，结果如何呢？那官员唯唯诺诺，其实一头雾水，昭觉克勤却悟了。为什么悟了？因为他突然明白，佛家的坐禅、修行也好，禅宗的机锋、棒喝也好，其实都不过"频呼小玉元无事"。目的，是通过觉悟而成佛。因此，要紧的，是"只要檀郎认得声"（开悟）。于是，昭觉克勤便写了一则"开悟偈"，最后两句居然是——

少年一段风流事，只许佳人独自知。

也就是说，正如少年时代的风流韵事，只有我和她知道，也只需要我和她知道。悟与不悟，成不成佛，同样只有我和佛知道，也只需要我和佛知道。禅宗，岂非**自我的佛法**？

但是，要"找回自我"，又必须"破除自我"。因为一个人最容易执著、最难破除的，就是"我"。因此，**破我执，才能知真佛**。这其实很难。比如，有一位法号叫玄机的尼姑，就自以为做到了，却其实没做到。玄机，有人说是六祖惠能的女弟子，也有人说是惠能法嗣永嘉玄觉的女弟子。所以，这个公案，就记载在《五灯会元》卷二。这公案说，有一次，尼姑玄机去见和尚雪峰。雪峰，有人说是雪峰义存。但雪峰义存是德山宣鉴的弟子，要算七世。玄机呢？少说也得算三世，辈分差得太远。因此也有人认为，这故事当中的雪峰，不是义存，是另一个雪峰。这个我们也不去管他。总之，玄机见到雪峰以后，雪峰就问她从哪里来。玄机说，大日山。雪峰说，大日山出太阳了吗？玄机说，要是出太阳，那就融化雪峰了。雪峰一听来者不善，就问她的法号。玄机回答说：玄机。雪峰就问，你这个"玄机"，一天织多少布？玄机的回答很雷人，说是"寸丝不挂"。显然，这是双关语。意思是说，我这个"织布机"，一根丝都没有。我这个人，也一丝不挂。因为我已经彻底"忘我"。"我"都没有了，挂什么？玄机说完这话，行了个礼就往外走，雪峰就送她出门。玄机在前面走，雪峰在后面送。走了几步以后，雪峰突然说，玄机师太，你的袈裟拖在地上了。玄机马上回头看，因为袈裟拖到地上是不好的。于是雪峰说，呵呵，好一个"寸丝不挂"！

看来，禅宗不仅是**人间的佛法，简易的佛法，自我的佛法**，也是**智慧的佛法**。智慧与知识不同。知识属于社会，智慧属于个人；知识可以授受，智慧只能启迪。唯其如此，禅宗才会有那么多层出不穷又千奇百怪的机锋与公案。因为学佛的人固然要有慧根，开悟的人也必须有机智。显然，禅宗的否定，不是否定，是肯定。或者说，是否定之否定。事实上，他们**否定的是执著，肯定的是自由；否定的是教条，肯定的是自我**。因此，只要不执著，什么都可说，什么都可做，什么都能有。但智慧的获得，却只能靠每个人自己。

于是，禅宗就从佛法变成了一种境界。这种境界，可以用宋代罗大经《鹤林玉露》所载，一位不知法号的尼姑所作"开悟偈"来象征——

　　　　尽日寻春不见春，芒鞋踏遍陇头云。
　　　　归来笑拈梅花嗅，春在枝头已十分。

　　那么朋友，你看见春光了吗？

后　记

　　2009 年 9 月至 11 月,我应中国移动公司邀请,在福州、重庆、绵阳、咸宁、南京和黄石做了六场演讲。题目分别是《周易的启示》、《中庸的原则》、《兵家的思考》、《老子的方法》、《魏晋的风度》和《禅宗的境界》,总标题为《中国智慧》。

　　演讲结束,负责讲座事宜的北京天道和圣文化发展公司,将记录稿发来,建议整理成文,公开出版。这倒也是惯例,并无不可。但我自己看了以后,觉得如果只是做一些文字上的润饰和订正,固然省事,却有不负责任之嫌。因此,又花了两个多月的时间,对记录稿进行大幅度修改。内容既有增删,结构亦有调整,文字也改头换面,实际上等于重新写过。做这样一种“脱胎换骨”的修改,受益者其实首先是我自己。因为这就迫使我对这六个题目重新思考,也迫使我对相关典籍重新阅读,岂能一无所获? 在此,我要向发出邀请的中国移动公司,以及做了大量工作的陶冶、苏晓敏和解丁丁三位女士,表示衷心感谢!

　　中国智慧,是一个大题目。它的内容,当然决不仅限于本书所言。但我以为,《周易》、先秦诸子、魏晋玄学和禅宗,是精华中的精华。其中,儒墨道法的主要思想,我在中央电视台《百家讲坛》已经讲过,还出版了《先秦诸子百家争鸣》(上海文艺出版社)和《我山之石》(广西师大出版社)两书。可惜因为主题和结构的限制,没能够讲中庸,老子的方法也基本没讲,这次正好补上。这两本书加这两讲,再加上《周易》、兵家、魏晋和禅宗,则中国智慧的精华,便都走马观花地浏览了一遍。毫无疑问,这种浏览,是浮光掠影和浅尝辄止的,自然难入方家法眼。但对于只希望"观其大略"的读者,却未必不是合适的选择。

最后,再次感谢上海文艺出版社和所有喜欢我的读者!

易中天

2010 年 2 月 8 日

图书在版编目（CIP）数据

中国智慧/易中天著.－上海：上海文艺出版社.2011.1(2011.6 重印)
ISBN 978-7-5321-4056-5
Ⅰ.①中… Ⅱ.①易… Ⅲ.①传统文化-研究-中国
Ⅳ.①K203
中国版本图书馆 CIP 数据核字（2010）第 244932 号

责任编辑：赵南荣
封面设计：王志伟

中国智慧
易中天 著
上海文艺出版社出版、发行
上海绍兴路 74 号
新华书店经销　上海交大印务有限公司印刷
开本 700×1000　1/16　印张 13　插页 2 字数 163,000
2011 年 1 月第 1 版　2011 年 6 月第 6 次印刷
印数：130,501-150,600 册
ISBN 978-7-5321-4056-5/B·37　定价：25.00 元

告读者　如发现本书有质量问题请与印刷厂质量科联系
T: 021-54742977